골이식! 꼭 어렵게 해야 성공하나요?

심플 골재생
SIMPLE GBR

저자 **단정배 원장** (우정치과)

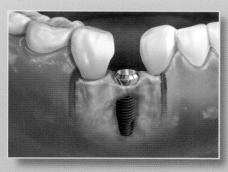

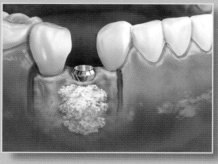

단정배의
ECES
Concept & Technique

Evidence Based
Clinically Oriented
Experience Approved
Simplified

군자출판사

심플 골재생

첫째판 1쇄 인쇄 | 2018년 08월 22일
첫째판 1쇄 발행 | 2018년 09월 07일

지 은 이 단정배
발 행 인 장주연
출 판 기 획 한인수
표지디자인 김재욱
편집디자인 유현숙
일 러 스 트 유학영
발 행 처 군자출판사
　　　　　등록 제 4-139호(1991. 6. 24)
　　　　　(10881) **파주출판단지** 경기도 파주시 회동길 338(서패동 474-1)
　　　　　전화 (031) 943-1888　　팩스 (031) 955-9545
　　　　　www.koonja.co.kr

ISBN 979-11-5955-344-8
정가 90,000원

SIMPLE
GBR

단정배의
ECES
Concept & Technique

*E*vidence Based

*C*linically Oriented

*E*xperience Approved

*S*implified

저자 프로필

저자 **단 정 배**

약력

1987	서울대학교 치과대학 졸업
1987~1990	서울대학교 치과병원 수련 (구강악안면방사선과 전공)
2004	〈성공적인 임플란트를 위한 골재생술 연수회〉 course director
현재	우정치과 원장

저서 및 논문

1994	『임플란트를 위한 방사선학』 (지성출판사)
2004	『치과위생사를 위한 임플란트 교과서』 (명문출판사)
2004	『PRGF 테크닉의 소개』 (군자출판사)
2005	『성공적인 임플란트를 위한 골재생 테크닉』 (신흥인터내셔널)
2010	『성공적인 임플란트를 위한 골재생 테크닉 (2편)』 (덴탈위즈덤)

머리말

"악인은 불의의 이를 탐하나 의인은 그 뿌리로 말미암아 결실하느니라."(잠12:12)

늘 제게 삶의 올바른 동기를 일깨워 주는 말씀입니다. 조급한 마음을 갖기보다 늘 뿌리가 무엇인지 아는 지혜를 얻으며 그 뿌리를 내리는 삶에 착념하는 삶이 열매 풍성한 삶의 비결임을 배웁니다.

"성공적인 골재생 테크닉"의 저술 이후 12년여가 흘렀습니다. 그 동안 그리스도인으로서 치과의사로서 마땅히 어떤 길을 가야 하나 생각해 보았습니다. 이에 배우게 된 것은 명의가 되기 보다는 겸의가 되라는 것이었고, 실력을 키우기에 앞서 먼저 환자를 사랑하는 것을 배워야 한다는 것이었습니다. 임상적으로는 항상 "업그레이드에는 끝이 없다."고 되내이며 발전하고 배우기를 힘썼습니다.

처음 새로운 임상 분야를 접할 때는 아직 가보지 않은 망망대해에 나가는 것처럼 나침반과 지도를 보며 조심조심 꼼꼼히 나가야 했으며, 이제 많은 경험이 쌓이면서는 잘못된 지도는 스스로 고쳐가며 더 안전하고 쉽고 확실한 길을 가는 것을 배우게 되었습니다.

처음에는 Evidence based practice에만 의존했지만 그것의 지향점은 항상 clinically oriented practice였으며, 마지막 열매는 Experienced based practice로 완성됨을 배우게 되었습니다.

처음 저의 책이 나왔을 때 많은 분의 격려가 있었습니다. 머리말이 제일 감동이 되었다는 분도 계셨고, 내용이 좋아 처음부터 끝까지 5번이나 정독했다는 분도 계셨으며, 어떤 분은 페이지별 오자까지 모두 정정해 주시고 보내 주시며 좋은 책이 되도록 축복해 주시는 분도 계셨습니다.

이 책을 통해 복잡하고 혼돈되고 다양하게 펼쳐져 있는 골재생에 대한 이론을 단순화하고 명료화하는데 힘썼으며, 이론적 근거가 어떻게 임상에 활용되는가에 초점을 맞추고자 했습니다.

그리고 임상적 테크닉 자체도 현란하고 멋있어 보이는 것을 지양하고, 간단하고 누구나 할 수 있으며 환자도 덜 고생시킬 수 있는 경험적으로 검증된 실제적인 테크닉을 소개하고자 했습니다.
아무쪼록 저의 이 작은 나눔이 동료 치과의사 선생님들께 큰 도움이 되며 하나님께 영광이 되기를 기도합니다.

2018년 8월 단 정 배

목차

골재생 원리

SIMPLE PRINCIPLE FOR GBR

단정배의
ECES
Concept & Technique

Evidence Based

Clinically Oriented

Experience Approved

Simplified

① 골재생을 일으키는 전략

골재생 테크닉은 결국 결손된 부위에 원하는 만큼의 뼈가 만들어지도록 하는 임상적 술식입니다.

고전적으로 골재생의 전략으로는 osteogenesis, osteoinduction, osteoconduction을 이야기합니다. 다르게는 cell based, factor based, scafold based란 말을 쓰기도 합니다. 즉, 골결손 부위에 골세포를 넣어 주든지, 줄기세포를 골세포로 분화시킬 수 있는 효소를 넣어 주든지, 물리적 환경이나 공간을 제공해 주어, 골생성을 일으키는 측면으로도 이야기할 수 있습니다.

1) 골유도 : 화학적 신호가 골세포 분화를 일으킴

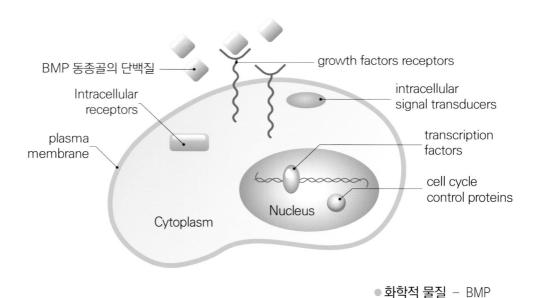

그림 1-1   Growth factor가 골전구 세포의 표면 receptor에 결합하여 골세포로 분화하게 합니다. BMP나 단백질이 포함된 동종골은 이러한 역할을 할 수 있습니다.

2) 골전도 : 물리적 구조의 자극이 골세포의 분화를 일으킴

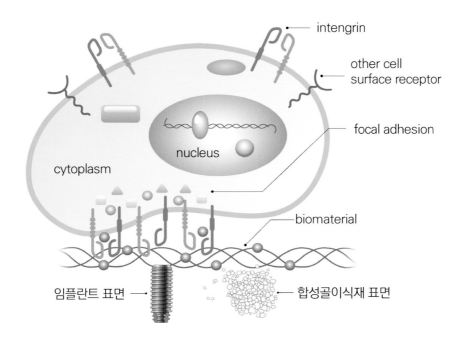

● 물리적 구조 – 임플란트 표면
　　　　　　　– 골이식재 표면

그림 1-2　이전의 골전도 개념은 단지 공간 유지 개념이었지만 적극적인 의미에서 nano level의 물리적 구조(즉, biomaterial의 특성)가 골세포의 분화를 일으키는 것으로 볼 수 있습니다. 임플란트의.표면 처리나 이식재의 표면, 물리적 구조에 따라 골생성 능력이 달라집니다.

임플란트의 표면 처리는 이러한 골전도 능력을 개선시키기 위한 것입니다.

또한 현대 biomaterial을 연구하는 쪽에서는 osteoinduction이나 osteoconduction을 같은 측면으로 이야기하기도 합니다. 즉, 미분화된 간엽 세포가 골세포로 분화하는 과정에서 growth factor라 불리는 여러 단백질이 그 과정을 일으키도록 촉발하기도 하지만, nano level의 bioactive한 표면을 가진 biomaterial 또한 미분화 간엽세포가 골세포가 되도록 촉발하는 역할을 한다는 것입니다. 임플란트의 표면 기술도 바로 이러한 osteoconductive한 측면의 발달에 속한 것입니다. 즉, 현대 biomaterial 분야에서의 osteoconduction이란 단순히 세포의 활동을 도와 주기 위한 공간 유지 뿐 아니라 osteoinductive한 개념까지를 이야기하는 것입니다.

3) 골전도 : 골유도의 종합적 개념

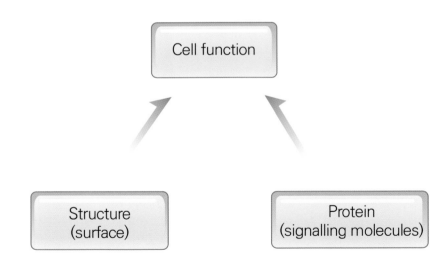

그림 1-3 Biomaterial의 구조나 특정 단백질이 골전구 세포 표면에 결합하여 골세포로 분화하게 함.

② 골세포는 어디서 오나?

1) 골수의 미분화 간엽 세포

우리 몸에는 요소 요소마다 미분화 간엽세포들이 있는 곳이 있는데 골수와 골막의 deep layer도 그 중의 하나입니다. 골재생술에서는 골수의 미분화 간엽세포가 중요한 역할을 합니다. 이 미분화 세포는 평소에는 가만히 있다가 필요에 따라 growth factor의 도움을 받아 필요한 세포로 분화하게 됩니다. 따라서 골수쪽을 항상 열어 놓아야 합니다. 골수쪽을 문이라 생각하면 그 문쪽은 깨끗하게 활짝 열어 주고, 그 반대쪽은 골세포가 아닌 것이 침입하여 들어오지 못하게 막아 주어야 합니다. 이것이 바로 Guided Bone Regeneration의 개념입니다.

염증조직들이 있으면 깨끗하게 치워 놓아야 합니다. 치주염이 심해 치아 주위 골 손실 부위에 염증 육아 조직으로 꽉 차 있는 경우 단순히 치아만을 발치하고 기다리는 것은 골재생을 위해 매우 안 좋은 것입니다. 흔히들 implant site preparation이라는 말을 쓰는데, 치아를 발치하고 "빠각빠각" bone 표면을 긁는 느낌이 날 때까지 염증성 육아조직을 잘 제거하는 것은 좋은 implant site preparation이 되고, 좋은 bone regeneration site preparation이 되는 것입니다. 이 때 흔히들 양쪽이 curved된 surgical curette을 쓰는데, 이것을 가지고는 bone 표면에 단단히 붙어 있는 염증성 육아 조직을 제거하기가 쉽지 않습니다. 날이 예리하게 서 있는 straight molt curette을 쓰는 것이 좋습니다. 그리고 과감하게 아주 힘을 주어 완전히 제거해야 합니다. 이것이 바로 골수쪽의 미분화 간엽세포가 잘 오도록 문을 열어 놓는 좋은 술식이 되는 것입니다.

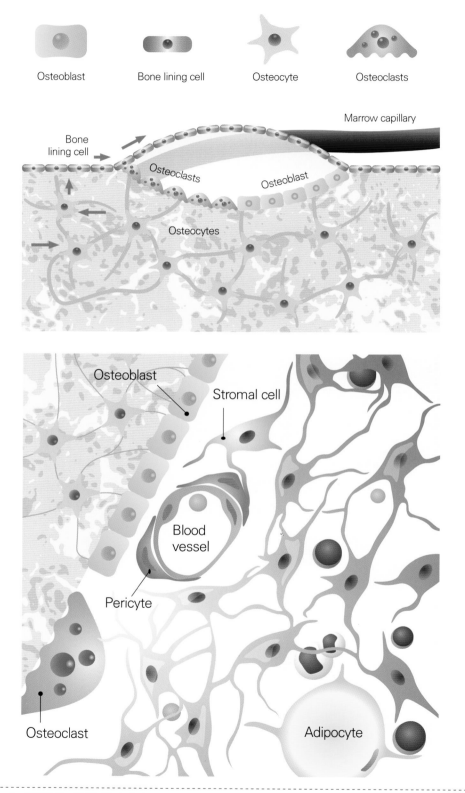

Osteoblast   Bone lining cell   Osteocyte   Osteoclasts

그림 1-4   골세포는 항상 혈관에서 공급되는 세포에 의해 만들어진다는 사실을 기억하고 뼈쪽에서 자라
들어오는 혈관을 의식하는 골재생 개념이 필요합니다.

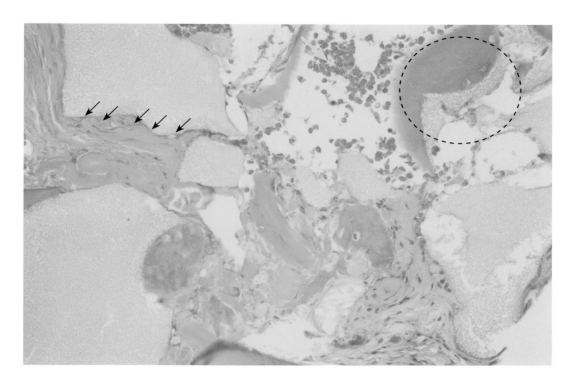

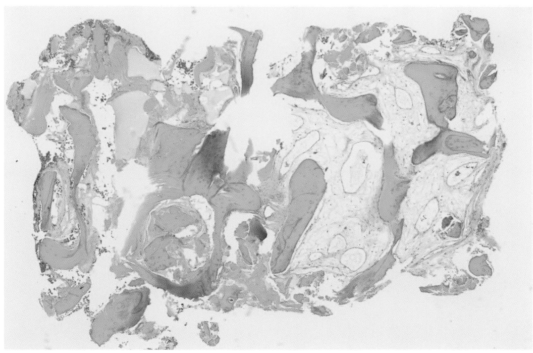

그림 1-5 상악동에 합성골 이식 후 trephine으로 채취하여 관찰한 조직 사진입니다. 합성골의 경계부는 불규칙하게 흡수되는 양상을 보이며 stromal tissue가 바로 맞닿아 있습니다(검은색 화살표). 이것이 계속 성숙하며 stromal tissue에서 분화된 골 세포들이 신생골을 형성하여 윗부분은 신생골, 아랫부분은 합성골이 결합하여 있는 양상을 보입니다(검은 원). 주변에 적혈구들(노란 색 화살표)이 많이 흩어져 있는 것으로 보아 혈관 조직이 주위에 많이 있음을 알 수 있습니다.

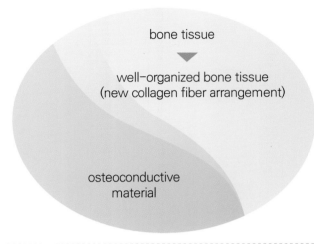

bone tissue

▼

well-organized bone tissue
(new collagen fiber arrangement)

osteoconductive
material

그림 1-6   이전의 골전도 개념은 단지 공간 유지 개념 골전도 : 골전도의 과정을 그림 1-5에서 확인할
수 있습니다.

2) Pericyte

혈관 주위에 있는 pericyte 또한 골세포로 분화할 수 있는 potential을 가진 것으로 여겨지고 있습니다.

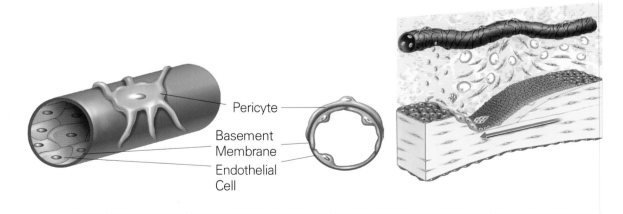

Pericyte

Basement
Membrane

Endothelial
Cell

그림 1-7   혈관 주위에 있는 pericyte가 골세포로 분화합니다.

3) 혈구 세포

파골세포도 골생성과 리모델링에 절대적으로 필요한 세포입니다. 정확하게는 파골세포(osteoclast)라 불리우지만 골을 파괴하기만 하는 세포는 아니고 골을 만들고 리모델링하게 해주는 또 다른 "골세포"라고도 볼 수 있습니다. 이 파골세포는 혈액에 떠 돌아다니는 혈구 세포의 일종인 monocyte에서 오는 것으로 알려져 있습니다.

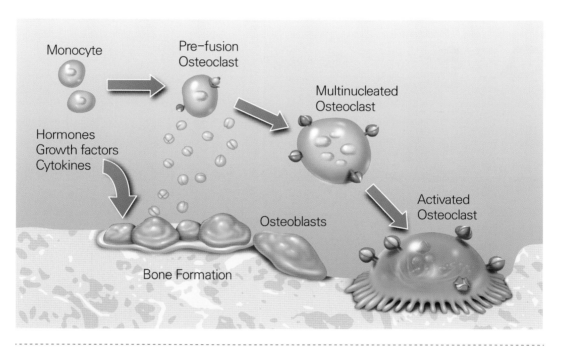

그림 1-8 골생성과 리모델링에 반드시 필요한 osteoclast 역시 혈구 세포로부터 오기 때문에 골이식 후 골재생을 위해서는 반드시 혈관의 침투와 혈액의 공급이 중요한 key가 됩니다.

③ 골세포는 세포 분열(mitosis)을 통해 증식하는가?

미분화 간엽세포, 즉 osteogenic cell은 증식하지만 이미 분화된 osteoblast는 세포분열을 통해 숫자를 늘리지는 않습니다. 그러므로 지속적으로 골수쪽에서 공급되는 골전구 세포의 공급과 혈관의 증식이 필요합니다.

④ 결론

이러한 내용들을 요약적으로 생각할 때 뼈의 생성과 재생은 "골수쪽의 혈관과 세포들이 결손 부위로 자라들어 오도록 하는 것"에 달려 있다고 할 수 있습니다. 다른 말로 바꾸어 표현한다면 "피가 찬 defect에 뼈가 생긴다."라는 말로도 요약될 수 있습니다. 이것은 골재생 테크닉을 공부하고 이해하며 항상 기억해야 할 가장 큰 중요한 KEY WORD라고 생각합니다.

Key to Bone Regeneration: Cell & capillary supply into bone defect.

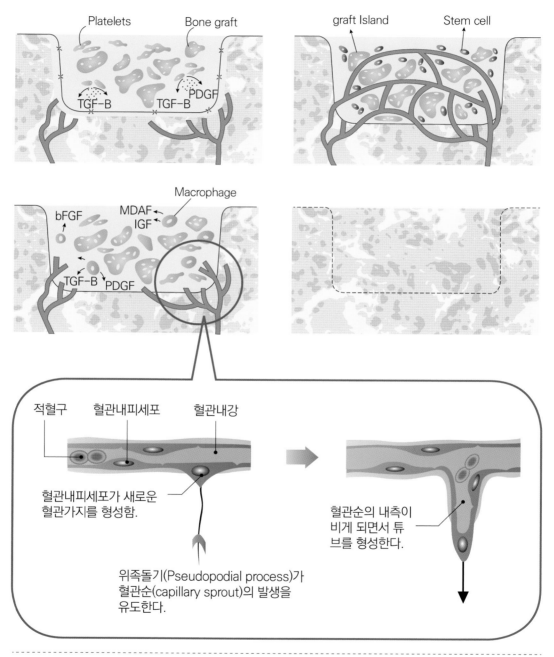

그림 1-9 ① 기존 골로부터의 혈관의 유입과 골전도와 골유도에 의한 골세포의 생성 그리고 ② 공간 유지가 골재생이 핵심 개념입니다.

References

- Osteoblast Precursors, but Not Mature Osteoblasts, Move into Developing and Fractured Bones along with Invading Blood Vessels: Developmental Cell 2010 Aug;(19):329-44.
- Thepericyte as a possible osteoblast progenitor cell.: Clin Orthop Relat Res. 1992 Feb;(275): 287-99.

memo

발치 후 골 결손부의 치유에 대한 이해

SIMPLE DECISION MAKING

단정배의
ECES
Concept & Technique

Evidence Based

Clinically Oriented

Experience Approved

Simplified

① 발치 후 치조골의 흡수

학창 시절 보철 시간에 치조골은 시간이 지나면 흡수된다고 막연하게 배운 기억이 저의 머리 속에 오랫동안 박혀 있어, 이는 빼고 나면 무조건 흡수되는 것으로 생각하고 있었고, 이것이 임플란트를 하며 한동안 많은 혼돈을 주었습니다.

어떤 연구들에 의하면 발치 후 6개월 안에 수직적, 수평적으로 3~4 mm의 골흡수가 일어난다고 이야기 하고 있습니다. 이런 논문들을 한 줄만 인용하면 정말 혼돈을 많이 줍니다. 골흡수는 발치 시 잔존 치조골의 상태에 따라 다른데, 이런 요소들의 중요성은 이야기하지 않고 일률적으로 골흡수가 일어난다고 오해를 줄 수 있기 때문이죠.

❖ 발치를 하고 시간이 지나면 뼈는 무조건 흡수되는 걸까?

사실은 그렇지 않습니다. 발치 당시 치조골의 상태에 따라 다르며 주변 연조직의 혈액 공급에 따라 다르기도 합니다. 그렇다면 치조골의 기본적인 생물학을 살펴 봄으로서 임상의 다양한 상태에 대한 대응과 응용에 대해 알아 보도록 하겠습니다.

뼈의 재생은 결손부의 형태 및 상황에 따라 현저하게 차이를 나타냅니다.

② Critical size of defect

결손부의 골재생을 이해하기 위해 "Critical size of defect"라는 개념을 소개하겠습니다.

Critical size of defect란 일정 시간 내에 뼈가 완전히 찰 수 있는 최대의 결손부의 크기라고 말할 수 있습니다. 예를 들어, 직경이 5 mm인 골결손의 경우에는 뼈가 완전히 찼는데, 그 이상의 결손 크기에서는 뼈가 완전히 차지 않는다면 이 경우의 critical size of defect는 5 mm가 됩니다. Critical size of defect 이하에서는 골이식재나 멤브레인 없이 일정 시간 내에 뼈가 완전히 찬다는 것을 의미합니다. 뼈의 치유를 몇 년간이나 찰 때까지 기다릴 수는 없기 때문에 일정 시간 내에 뼈가 찰 수 있는 크기를 critical size of defect라 하는 것입니다. Critical size of defect는 사람, 개, 토끼 등 개체마다 다릅니다.

결론적으로 critical size of defect는 size dependent하며, 또 time dependent한 크기입니다.

1) 그렇다면 사람의 치조골에서의 critical size of defect는 어느 정도 크기일까요?

2) 대구치의 근원심 직경을 대략 10 mm라고 한다면 발치 후 일정 시간이 지났을 때 뼈는 완전히 찰 수 있을까요? 협설로 줄어 들지는 않을까요? 그냥 뼈가 다 찰까요?

치조골에서는 critical size of defect에 또 한가지 고려해야 할 요소가 있습니다.

바로 lingual plate와 buccal plate입니다. 임상에서 lingual plate가 얇아져 있는 경우는 드물며, 대부분은 buccal plate가 문제가 됩니다.

Plate의 두께가 얇으면 원래의 높이까지 뼈가 다 차기보다 녹아 내려갈 가능성이 많이 있지만 충분한 두께가 있다면 뼈는 다 찹니다. 굳이 골이식재를 넣거나 멤프레인을 할 필요는 없습니다.

사람의 치조골에 있어 critical size of defect는 10 mm는 된다고 볼 수 있습니다. 다만 buccal plate와 lingual plate가 충분한 두께를 유지한 경우에 있어서 말입니다.

임상적인 경험으로는 완전한 bone fill을 위해 적어도 1.5 mm 정도의 plate 두께가 필요합니다.

③ 치조골 흡수 예상선 (Expected alveolar bone resorption line)

❖ 발치 후 CT를 촬영하여

1) 발치와의 어느 높이까지 뼈가 찰 것인가?

2) 발치 후 즉시 임플란트 식립이 가능한가?

3) 치조골 보존술이 필요한가?

4) 치조골 보존술 이상의 치조골 재건을 위한 골이식이 필요한가?

발치 후 치조골 흡수 예상선을 그려볼 수 있습니다.

① 발치 후 협설측 bone plate가 모두 건전하며 1.5~20 mm 이상으로 충분히 두껍다면 단순히 2~3개월 기다리는 것만으로 완전한 bone fill을 기대할 수 있습니다.

② 발치 후 어느 쪽의 bone plate가 소실되었거나 1.5 mm 이하로 얇다면 얇은 부위의 높이까지 뼈가 다 차기가 힘듭니다.

발치 후 즉시 식립의 가능성 여부는 위 2가지의 경우 초기 고정을 얻을 수 있는가 아닌가에 달려 있습니다.

치조골 흡수 예상선을 그려보아 높이와 폭이 불충분하다면 치조골 보존술이나 골이식술을 시행합니다.

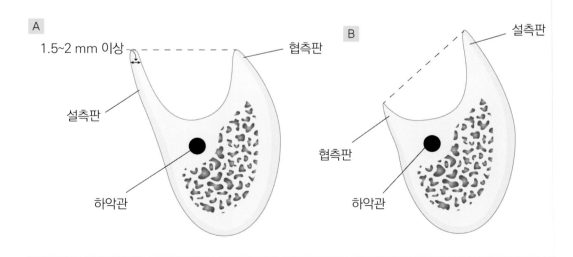

그림 2-1 발치 후 예상선. A 골이식 불필요, B 골이식 필요

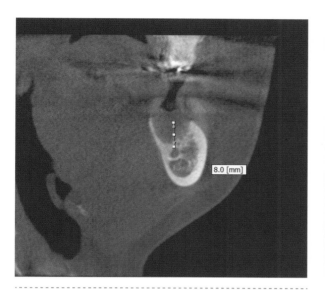

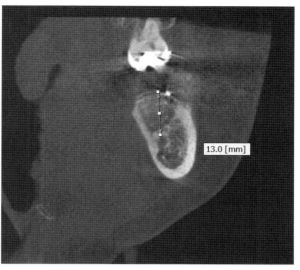

그림 2-2 Lingual plate와 buccal plate을 잇는 가상선 이 뼈가 최대로 찰 수 있는 상한선입니다. 그러나 이 케이스에서 lingual plate가 얇기 때문에 (1.5 mm 이하) 시간이 지나면 이마저 더 낮아 질 수 있습니다. 이런 경우 그냥 방치하면 임플 란트를 심기가 어려우므로 staged approach 를 하여 골이식 후 임플란트 식립을 합니다.

그림 2-3 골이식을 시행하여 lingual plate의 흡수를 막고 augmentation이 되도록 하였습니다.

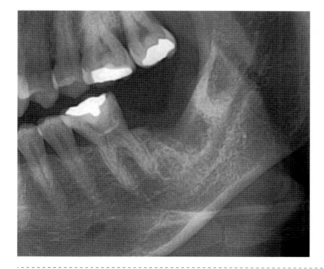

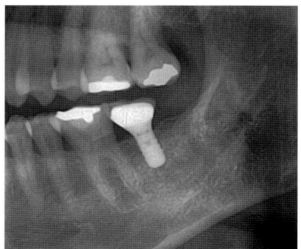

그림 2-4 술전, 술후 방사선 사진입니다. 함몰된 치조골이 평편하게 회복된 것을 볼 수 있습니다.

발치 후 bone defect 분류와 regeneration potential

Critical size of defect는 약간의 평면적인 개념이며, 발치 후 발치와는 여러 형태의 defect를 나타냅니다.

발치 후 bone defect의 분류는 발치와의 바닥을 기본적인 one wall로 보았을 때 3 walls, 4 walls, 5 walls defect로 나눌 수 있습니다.

협설측의 plate가 1.5 mm 이상인 5 walls defect인 경우 100% bone fill을 기대할 수 있습니다.

3 walls, 4 walls의 경우 graft나 membrane 등 추가적인 대처를 하지 않는다면 대략 75%, 50%의 bone fill이 된다는 임상적인 판단을 하는 것이 필요합니다.

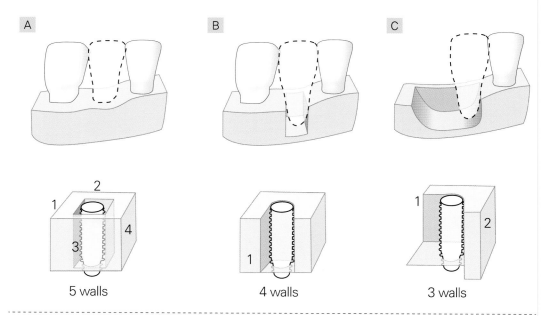

그림 2-5 치주 bone defect 분류: wall이 많을수록 치료의 예후가 좋습니다.

⑤ Staged approach? or Immediate installation?

❖ 발치 후에

1) 임플란트를 고정할 수 있는 bone이 있고
2) 협설측 bone plate가 1.5 mm 이상이라면
발치 후 즉시 식립이 가능합니다.

두가지 중 하나라도 조건이 만족이 되지 않으면 기다렸다가 심어야 합니다. 여기서 그냥 기다릴지 골이식을 하고 기다릴지를 결정해야 합니다. 이렇게 단계적으로 기다렸다가 임플란트를 식립하는 것을 staged approach라고 하며 지연 식립(delayed implant installation)이라고도 합니다.

Staged approach에서 발치 후 임플란트를 고정할 수 있는 bone은 없지만, 협설측 bone이 1.5 mm 이상 충분하다면 골이식 없이 그냥 기다려도 거의 완전한 bone fill을 얻을 수 있습니다.

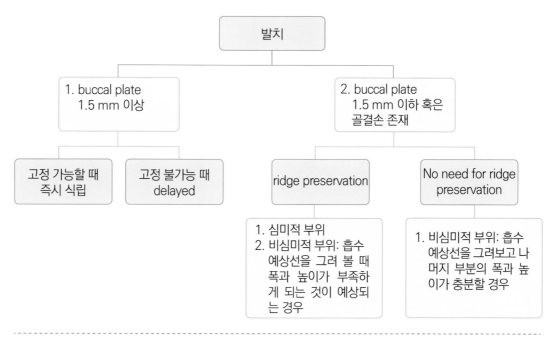

그림 2-6 Immediate approach와 staged approach.

고정할 수 있는 bone이 있더라도 협설측 plate의 두께가 1.5 mm 이하거나 부분적으로 파괴되어 있다면 즉시 임플란트 식립을 하더라도 골이식이 필요하며 기다린다 하더라도 때에 따라 골이식이 필요합니다. 어느 한쪽이 흡수되어 낮아진다 하더라도 임플란트를 심기에 충분한 골 폭과 높이가 된다면 그냥 기다려도 되지만 심미적으로 예민한 전치부라든지 해부학적 구조물 때문에 더 이상의 골 흡수가 있어서는 안 되는 경우라면 발치 후에 그냥 기다리기 보다 이른바 ridge preservation technique을 통해 발치와의 bone volume을 유지해 주어야 합니다.

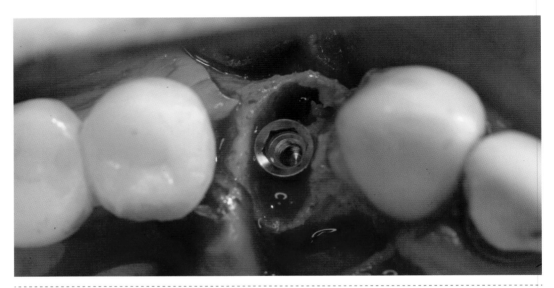

그림 1-7 협측 골판이 1.5 mm 이하이며 fenestration도 있습니다. 이런 경우 직경이 넓은 임플란트를 심어 defect size를 줄이기보다는 직경이 적당한 것을 심고 협측에 뼈가 생길 공간을 많이 확보하는 것이 장기적인 안정에 더 유리합니다.

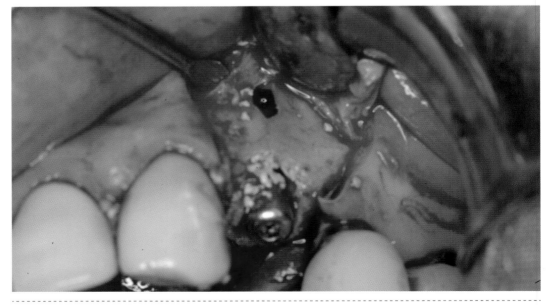

그림 2-8 골판이 얇고 fenestration이 있으므로 혈액 공급이 약하며 흡수될 가능성이 많습니다. 이런 경우 가격이 저렴한 합성골로만 간단히 이식을 해줍니다.

그림 2-9 이식 후 상태입니다. 연조직의 별다른 처치 없이 간단히 임플란트 식립과 골이식이 이루어졌습니다.

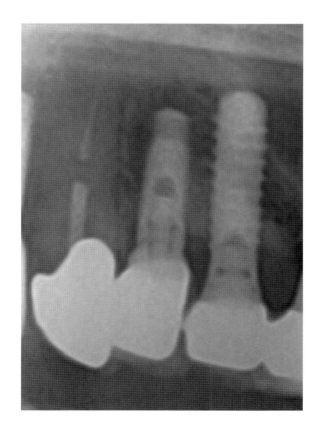

그림 2-10 8년 후의 방사선 사진입니다. 치조정의 높이는 잘 유지되어 보입니다.

그림 2-11 발치 후 즉시 식립을 시행하였습니다. 협측골판이 1.5 mm 이상이 됩니다. 이런 경우 별도의 골이식을 필요치 않습니다.

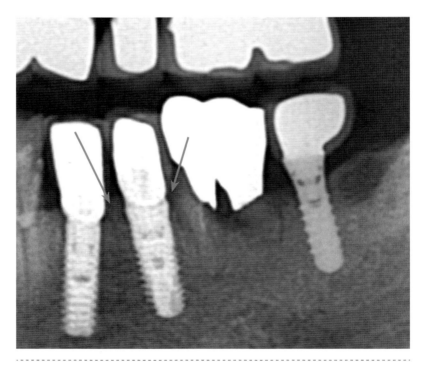

그림 2-12 5년 후 방사선 사진입니다. 치조정의 골흡수 소견은 보이지 않으며, defect는 모두 뼈가 차 있습니다. 임플란트는 안정적으로 기능하고 있습니다.

6 발치 후 임플란트를 심기 위해 얼마나 기다려야 하나?

발치와의 치유에 대한 연구는 동물에서 행해진 경우가 많으며 일반적인 실험 동물의 healing 속도는 사람의 healing 속도보다 훨씬 빠르기 때문에 이것으로 사람의 발치와의 치유 속도를 추정하는 것은 무리가 있습니다. 많은 책에서 개 등에서 얻어진 조직학적 사진과 함께 발치와의 치유에 대해 자세히 설명해 주고 있지만 이것이 오히려 혼돈을 주는 경우도 있습니다. 사람과 개의 치유 속도 차이를 설명하지 않은 채 그저 발치와의 시간대별 치유 상태를 설명해 놓아 자칫 사람에서도 그런 줄로 안다든지 아니면 사람과 다르다면 어떻게 사람에게 치유기간을 잡아야 하는 것인지 혼돈을 줍니다.

사람에 대한 연구는 많지 않으나 Amler 등의 연구에 의하면 사람의 경우 1주일이 지나면 clot이 granulation tissue로 대체되고, 20일 후에는 granulation tissue가 collagen으로 대체되며 발치와 바닥과 소켓 주변에서 골 형성이 된다고 하였습니다.

5주가 지났을 때 발치와의 2/3가 bone으로 차며, 상피는 24일이 지나 완전히 발치와를 덮고 어떤 발치와의 경우 35일이 지나서야 완전히 덮게 된다고 하였습니다.

Bone fill의 양상은 치근단 바닥 부위와 발치와 주변에서 시작하여 가운데와 발치와 정상쪽으로 채워진다고 하였습니다.

이 연구는 단근치를 대상으로 한 것으로 추정되고 있는데, 구치부에서는 이보다 1~2주 정도 더 늦어질 것으로 생각됩니다. 이 연구도 귀중한 연구임에 틀림 없지만 또 한가지 혼돈을 줄 수 있습니다. 모든 발치와의 속도는 같지 않기 때문입니다.

발치와의 bone fill에서 가장 중요한 개념은 blood supply와 혈소판의 질과 숫자 등 healing에 관여하는 healing potential에 대한 이해입니다.

발치 전 염증이 심해서 소켓 주위의 bone이 condensing osteitis 같은 만성 염증상태에 있었다면 주변 blood supply가 약합니다. 이런 소켓은 bone fill이 매우 더딜 수 있습니다. 안 등의 연구에 의하면(Int J Oral and Maxillofac Implants. 2008) 병적인 발치와에서 50%의 bone fill이 될 때까지는 16주가 걸린 반면 건강한 발치와에서는 8주가 걸린다고 하였습니다. 또한 완전히 제거되지 않은 염증성 육아 조직의 존재도 빠른 bone fill을 방해할 것입니다.

또 많은 수의 혈소판을 가진 사람의 경우 짧은 시간에 blood clot이 차며 안정되고 빠른 치유를 보입니다. 제가 임상적으로 경험한 경우는 한달만에도 거의 완전한 bone fill이 된 경우도 있었습니다.

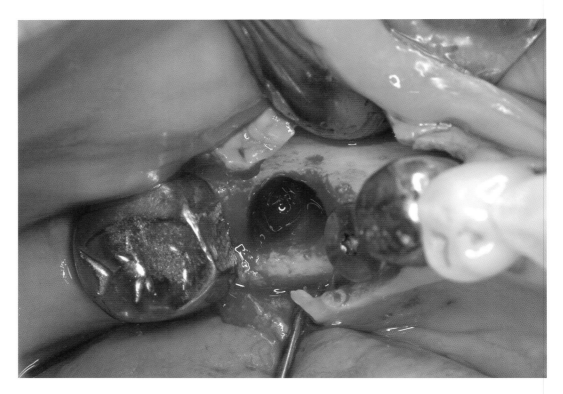

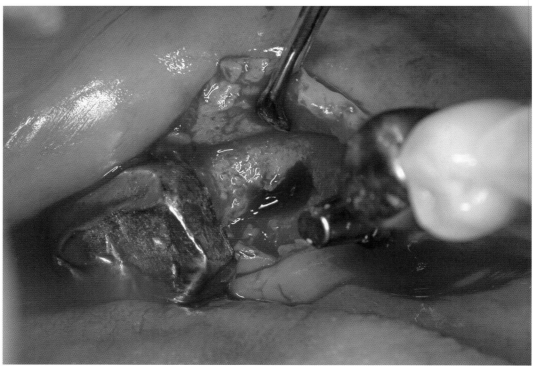

그림 1-13 발치 후 4주 후의 발치와의 모습입니다. 발치 전 모습을 보면 발치와는 엄청나게 큰 것 같지만 주변의 lingual plate와 buccal plate가 두껍고 풍부해 보입니다. 4주만에 발치와의 2/3 이상 이 채워졌습니다. 이와 같이 발치와의 치유는 주변골 상황에 따라 왕성한 혈액 공급 등으로 빨라질 수 있습니다.

이렇게 발치와의 bone fill은 발치와 주변의 blood supply, 남은 협설의 plate 두께(이것도 혈액 공급과 관계 있음), 발치와 주변의 연조직 두께, 혈소판 등 치유에 관여하는 치유 효소의 상태 등에 따라 그 정도와 속도가 다르다는 점을 염두에 두어야 할 필요가 있습니다.

그렇다면 기준이 될 수 있는 발치와의 bone fill 기간은 얼마일까?

앞서 말한 안 등의 연구에서는 정상군에서 10주에 완전한 socket healing을 보였고, 20주 후에는 더 이상의 new bone formation은 일어나지 않았다고 하였습니다. 정상군의 경우 8주를 지나서는 new bone이 전체의 50%를 넘었다고 하였습니다.

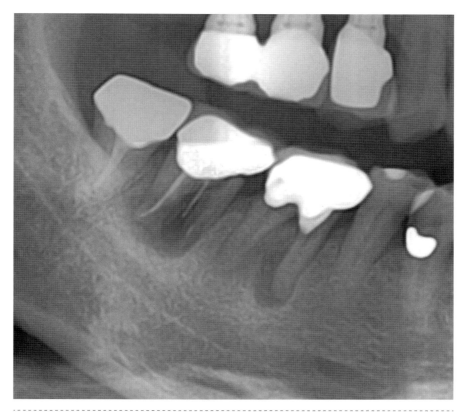

그림 2-14 치근단 염증으로 치근단 병소 주위에 골소주들이 많아지고 radiopacity 를 보이는데 이는 치근단 병소가 오랫동안 지속적으로 염증을 일으켜 주 위 뼈들이 이 병소의 확장을 저지하기 위해 벽을 쌓은 결과입니다. 이것을 condensing osteitis라고 합니다. 이것이 갖는 임상적 의미는 주변의 혈 액 공급이 원활하지 못하므로 발치 후에 치유가 지연되는 경향이 있다는 것입니다.

종합해보면 평균적으로 2달에서 길게는 4달 정도가 발치와의 bone fill 기간으로 보는 것이 타당할 것입니다.

필자의 경우 치주적 염증이 심하지 않고 주변에 condensing osteitis가 없는 경우 발치 후 2~3개월을 bone fill 기간으로 잡고 있습니다.

혈액 공급이 풍부한 상악의 경우 더 이런 것이 예측 가능하며 periodontal bone destruction이 장기간 있었던 하악 구치부의 경우 좀더 오랜 기간을 기다립니다. 염증이 심한 경우 길게는 보통보다 2배의 기간을 기다릴 수도 있습니다.

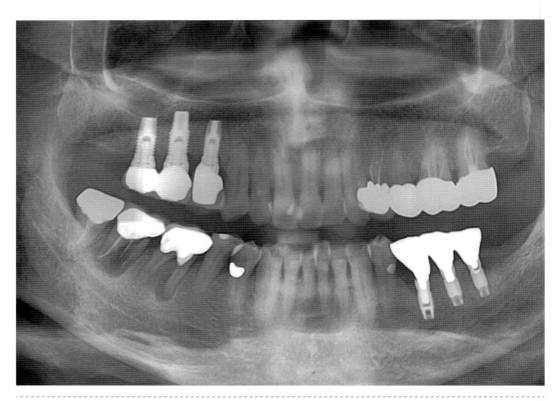

그림 2-15 #47 치아를 발치하고 5개월이 지나서 임플란트를 식립하였으나 이 때도 발치와에 골이 다 차 있지 않은 상태였습니다.

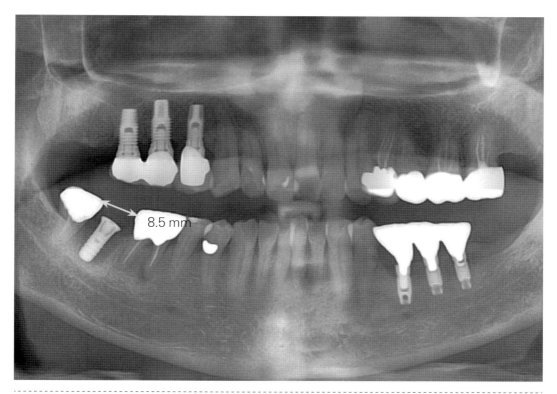

그림 2-16 임플란트 식립 후.

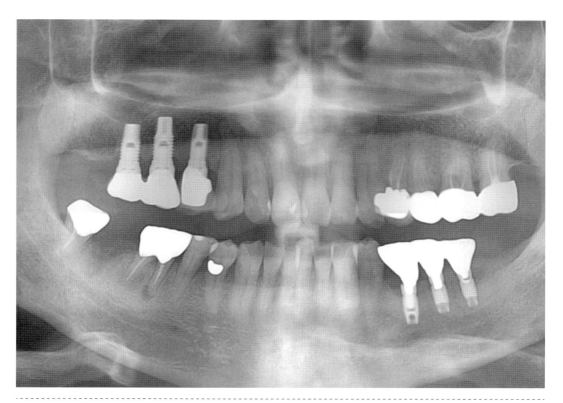

그림 2-17 4개월 후 보철을 하였으나, 8개월 후 임플란트의 동요로 임플란트를 제거하였습니다.

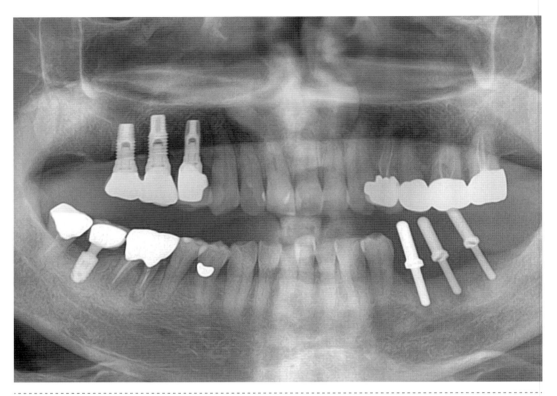

그림 2-18 다시 6개월 후에 임플란트를 재식립하였고 이후 3개월 후에 보철을 시행하였습니다.

7 Staged approach로 골이식을 한 경우 얼마나 기다렸다 심어야 하나?

Bone defect의 정도나 개개 환자의 healing potential에 따라 다르겠으나 4~6개월을 기준으로 합니다.

기간을 당길 수도 있겠으나 보다 안정적인 예후와 안정적인 식립을 위해서는 2개월 정도의 차이는 큰 것이 아닐 것입니다.

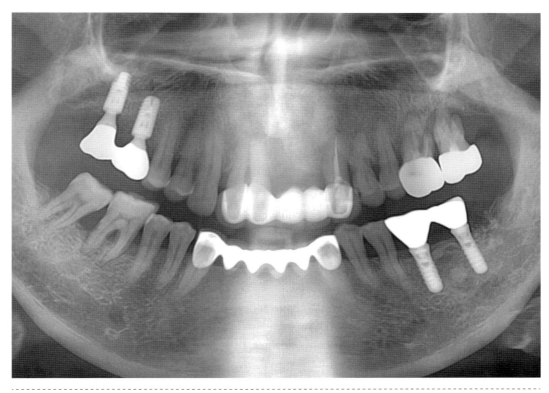

그림 2-19 상악좌측 대구치를 발치 후 6주를 기다려 연조직의 치유를 기다립니다.

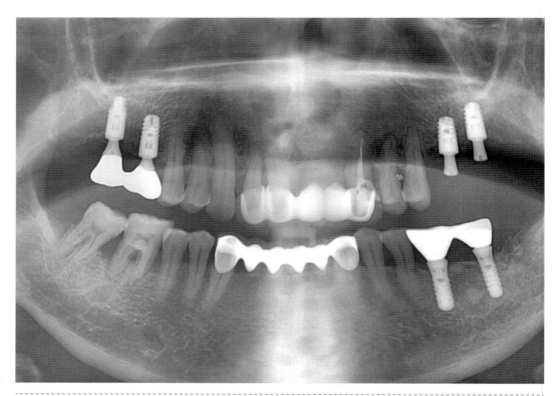

그림 2-20 연조직의 치유 후 골이식을 하면 더 안정적입니다. 골이식 후 약 5개월을 기다려 임플란트를 식립합니다.

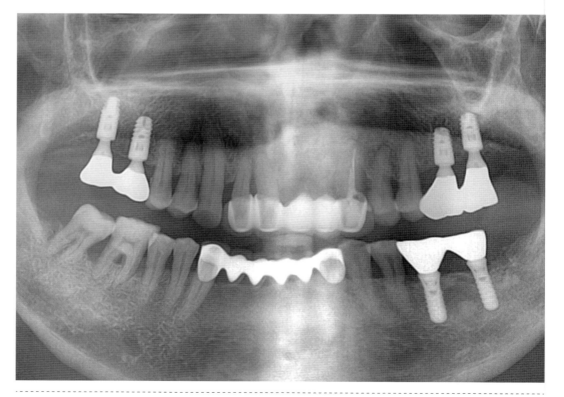

그림 2-21 임플란트 식립 후 3개월 후에 보철을 시행하였습니다.

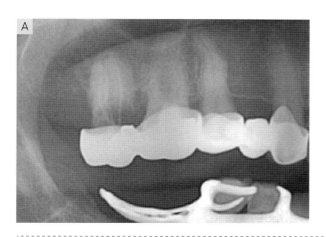
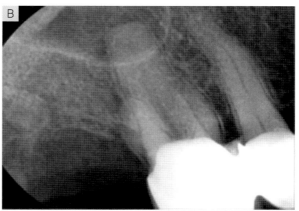

그림 2-22 A, B. 상악우측 제2대구치를 발치하고 주변 골이 풍부했으므로 즉시 식립을 하였습니다.

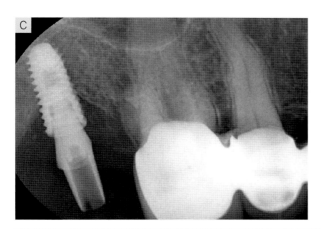

그림 2-22 C, D. 중간 중간 멘토 측정 결과 수치가 매우 낮았으므로 10개월을 기다려 보철을 했습니다. 10개월이 지났어도 주변 골은 채워지지 않았습니다. 10개월씩이나 기다렸기 때문에 볼 것도 없이 abutment를 연결하였습니다. 이때 임플란트도 같이 돌아가며 빠졌습니다. 안정적으로 staged approach를 했으면 하는 아쉬움이 있었습니다. 이 경우 임플란트의 표면 처리가 질이 안 좋은 것을 의심할 수도 있습니다. 검증된 임플란트의 경우가 아니라면 staged approach를 권합니다.

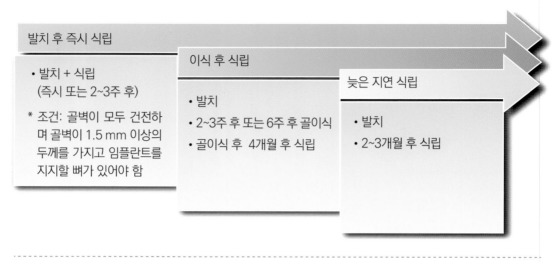

발치 후 즉시 식립

- 발치 + 식립
  (즉시 또는 2~3주 후)
- * 조건: 골벽이 모두 건전하며 골벽이 1.5 mm 이상의 두께를 가지고 임플란트를 지지할 뼈가 있어야 함

이식 후 식립

- 발치
- 2~3주 후 또는 6주 후 골이식
- 골이식 후 4개월 후 식립

늦은 지연 식립

- 발치
- 2~3개월 후 식립

그림 2-23 Stage별 임플란트 식립 프로토콜

References

- Amler MH, Johnson PL, Salman I. Histological and histochemical investigation of human alveolar socket healing in undisturbed extraction wounds. J Am Dent Assoc. 1960;61(7):32-44.

CHAPTER 03

발치 후 골 보존술

SIMPLE RIDGE PRESERVATION TECHNIQUE

1. Atraumatic extraction and complete removal of inflamed tissue
2. Filling of material

단정배의
ECES
Concept & Technique

Evidence Based

Clinically Oriented

Experience Approved

Simplified

모든 발치와에 발치와 보존술을 할 필요는 없습니다. 발치와 보존술이 필요한가 아닌가의 기준은 앞서 말한 바와 같습니다. 발치와 임플란트에 대한 충분한 경험이 없는 경우에 좀더 쉽고 안전한 임플란트의 식립을 위해서는 staged approach가 좋습니다.

❖ 발치와 보존 테크닉의 요체는

1) Atraumatic extraction과 complete removal of inflamed tissue
2) Filling of material
입니다.
Filling of material에서는 3가지로 생각할 수 있습니다.
(1) Only blood clot(or PRF, PRGF)
(2) Graft
(3) Graft + 흡수성 membrane

Open membrane technique이나 collagen 등의 사용 테크닉도 소개되고 있으나 위의 방법이 저자가 결론적으로 생각한 simple하면서도 효과적인 방법입니다.

여기서 중요한 것은 협설측의 bone plate가 건강하고 충분히 두꺼울 경우 발치와 보존을 위한 이식재나 멤브레인의 사용은 오히려 이것이 발치와의 골화 속도를 늦출 수 있다는 것입니다. 잘못된 개념으로 비용과 시간을 허비하는 결과를 가져올 수 있다는 것을 고려해야 합니다.

Graft material은 무너진 volume을 유지하고 회복하는 목적이 크며 그 자체가 기존의 bone쪽에서 오는 osteogenic tissue들보다 bone formation을 더 빠르게 하는 것은 아닙니다.

Covering tissue mucosa나 gingiva가 bone defect area로 collapse되거나 자라 들어오는 것을 막고 주위 bone쪽의 osteogenic tissue가 잘 자라 들어와 활동을 하도록 보호해주는 역할로 이해를 해야 합니다.

① Atraumatic extraction and complete removal of inflamed tissue

Bone plate를 손상시키지 않으면서 발치하기 위한 가장 간단한 방법은 forcep을 이용하는 것입니다. Forcep을 사용할 때는 너무 깊이 밀어 넣지 않도록 주의하고 협설측으로 forcep을 왔다 갔다 하는 것은 피해야 합니다. 잘못하면 buccal plate가 깨질 수 있습니다.

포셉을 잡고 약간 회전을 시키는 동작을 하는 것이 아주 중요합니다. Bone은 어느 정도 stiffness가 낮은 조직이기 때문에 모든 방향으로 약간씩 벌려주는 동작이 중요합니다.

전치부나 소구치에는 물론 대구치에서도 약간의 이런 동작이 중요합니다.

포셉의 선택도 중요합니다. 비크가 예리하여 잔존치근을 확실히 잡고 힘을 확실히 전달할 수 있는 것을 선택합니다. 습관적으로 사용하던 포셉을 사용하지 말고 장수가 보검을 고르 듯, 이 것저것 써 보고 자기에게 적절한 것을 골라야 합니다.

염증성 육아조직의 제거는 중요합니다. 일반적으로 curved surgical curette이 socket debridement 용으로 나온 것이기는 하나, 실제로 힘을 주어 완전히 염증성 조직을 제거하기에는 효과적이지 않습니다. 힘도 잘 주어지지 않을 뿐만 아니라 날도 예리하지 않은 경우가 많습니다.

이 보다는 straight curette을 사용합니다. Straight curette은 힘을 확실히 주어 긁어낼 수가 있습니다. 날도 예리한 것을 사용합니다. 염증성 육아조직이 제거되고 나면 fresh blood가 socket 내에 차며, 보다 healthy하고 신속한 bone fill이 일어날 수 있는 여건을 형성하여 줍니다.

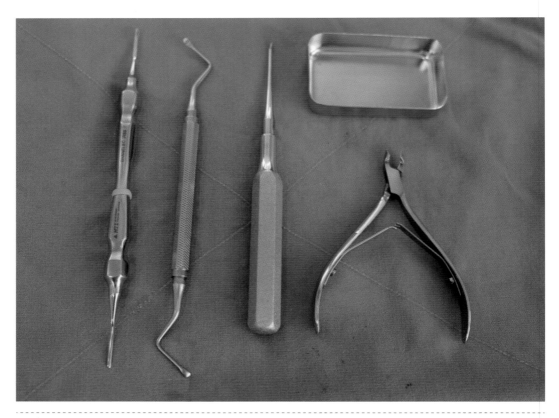

그림 3-1 Ridge preservation을 위한 simple kit입니다. Periotome, surgical curette, molt curette, tissue nipper입니다. 포셉으로 치근이 잡히면 좋으나 여의치 않을 경우 페리오톰으로 먼저 예리하게 삽입하여 치근에 움직임을 주고 발치하면 훨씬 도움이 됩니다. 발치 후에 발치와에 잔존하는 염증 조직은 큐렛으로 뼈가 긁혀지는 느낌이 들 때까지 깨끗이 제거하며 치은쪽의 염증성 조직도 tissue nipper를 이용하여 깨끗이 trimming을 하여 줍니다.

주변 연조직에 붙어 있는 염증성 연조직의 제거도 마찬가지로 중요합니다.

제거가 되지 않는다면 발치와로 염증성 조직이 자리를 차지하고 들어와 건전한 골조직이 차는 것을 방해합니다.

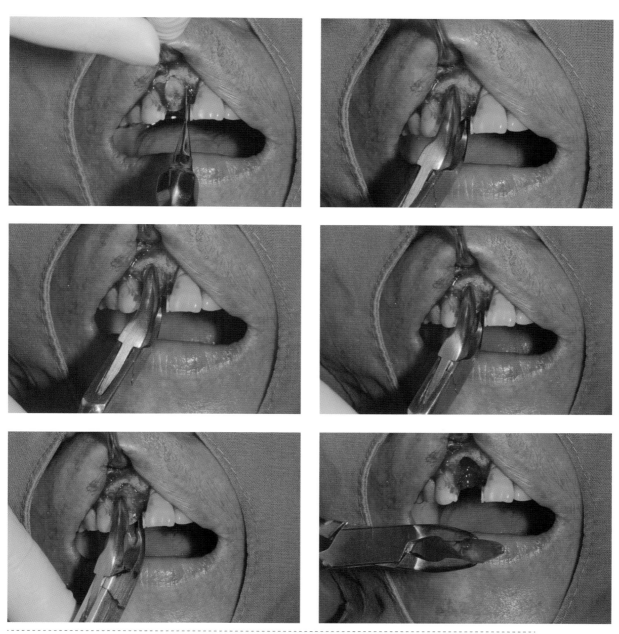

그림 3-2 협설 방향으로는 거의 왔다갔다하지 말아야 합니다. 얇은 협측 골판이 깨질 수 있습니다. 눈으로 협측 골판이 깨지지 않나 보면서 약간은 협설로 움직일 수 있습니다. 회전운동으로 돌리면서 수직으로 빼는 힘을 서서히 줍니다. 모든 동작은 불연속적으로 하지 않고 연속적이고 점증적으로 부드럽게 합니다.

Filling of material

(1) Only blood clot(or PRF, PRGF)

(2) Graft

(3) Graft + 흡수성 membrane

❖ Only blood clot(or PRF, PRGF)

협설측의 골판 두께가 1.5 mm 이상인 골 결손이 존재할 때는 별도의 골이식재나 멤브레인이 필요하지 않습니다. 특히 합성골의 사용은 발치와의 골 형성을 지연시킬 뿐입니다.

다만 혈소판의 치유효과를 이용한 PRF나 PRGF 등의 이용은 도움이 됩니다.

협설측의 골판이 1.5 mm 이하이기는 하나 치조골 정상까지 보존된 경우는 이식재의 충전만으로 충분합니다. 비용적인 측면에서 합성골의 사용을 고려할 수 있으나 주어진 시간 내에 빠른 효과를 위해서는 동종골을 권합니다.

협설측의 골판 일부가 파괴되어 있는 경우 이식재 외에도 추가적인 멤브레인을 쓰는 것이 안정적입니다.

이식재는 역시 동종골 이식재를 추천하며 멤브레인은 흡수성 하나로 통일합니다.

Ridge preservation을 위해 비흡수성 membrane의 사용은 저자의 경험으로 볼 때 필요 없다고 말씀드릴 수 있습니다. 이전에 open membrane technique이라 하여 비흡수성 멤브레인을 덮고 일정 기간이 지난 다음 비흡수성 멤브레인을 제거하는 술식이 소개되었는데 멤브레인을 제거해야 하는 번거로움이 있고 흡수성 멤브레인을 쓰는 것에 비해 별 장점도 가지고 있지 않습니다.

흡수성 멤브레인을 쓰는 경우 별도의 스크류나 bone tack 등은 필요치 않으며 단순히 흡수성 멤브레인을 cover하는 것으로 족합니다.

Ridge preservation은 발치 후 즉시할 수도 있으나 발치 후 2~4주 후 발치와 내 염증의 완전한 resolution 후에 하는 것이 보다 안정적입니다.

CASE 1 | Open membrane technique (비추천) – 어렵게 한 CASE 1

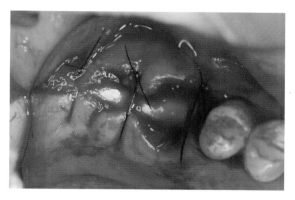 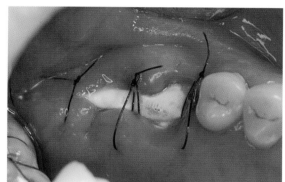

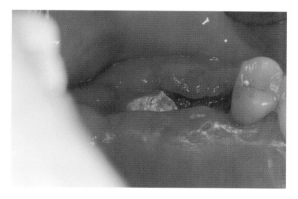 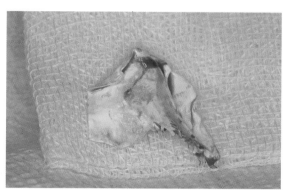

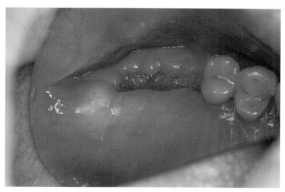 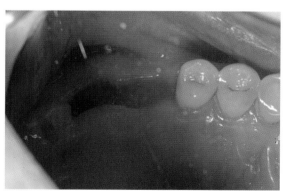

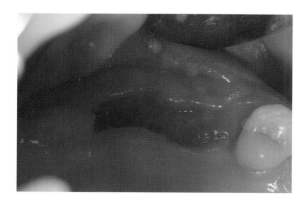

그림 3-3 비흡수성 멤브레인을 써서 하는 open membrane 테크닉도 하나의 방법입니다. 그러나 멤브레인을 중간에 제거해야 하는 번거로움이 있습니다. 비추천합니다.

CASE 2   플레이트 사용 – 어렵게 한 CASE 2

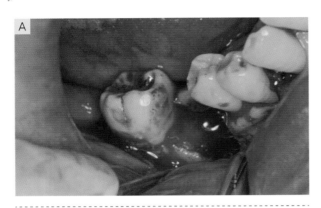

그림 3-4 A. 협측에 buccal plate가 완전히 손상되어
있습니다.

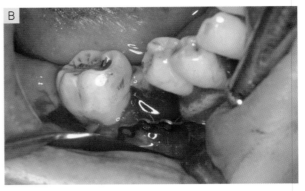

그림 3-4 B. 플레이트를 써서 ridge preservation을 시도
하였습니다. 지금은 이런 복잡한 방법을
쓰지 않습니다.

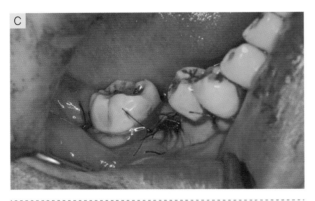

그림 3-4 C. 봉합까지는 문제 없이 되었습니다.

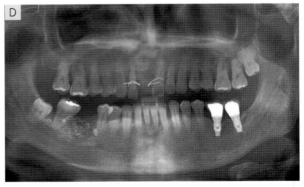

그림 3-4 D. 이식 후 방사선사진입니다.

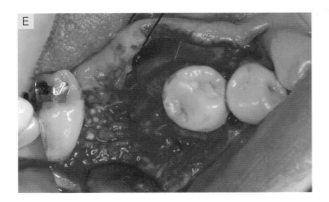

그림 3-4 E. 플레이트가 밖으로 노출되어 제거하고 나니
buccal plate와 발치와는 재건되지 않았습
니다.

CASE 3 — PRF – 쉽게 한 CASE 1

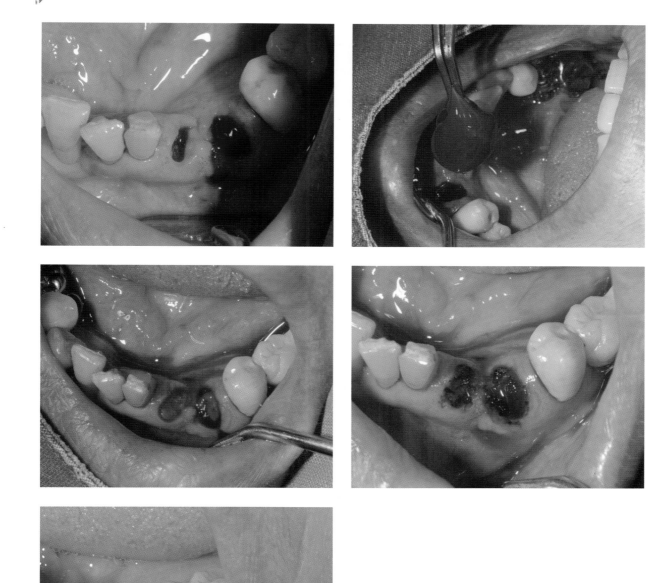

그림 3-5 발치 후 PRF로 발치와에 채워 넣어주면 치유가 좀더 빨라지는 효과가 있습니다.

CASE 4　　　　**이식재 + 멤브레인 – 쉽게 한 CASE 2**

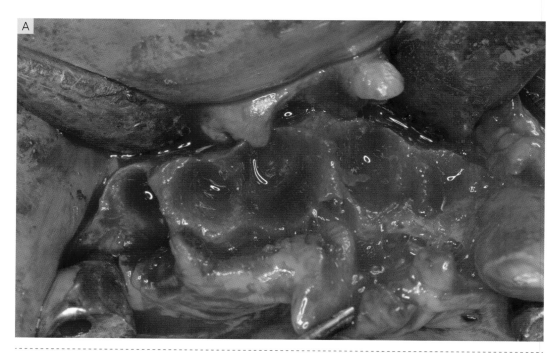

그림 3-6　A. 발치 후 상태입니다. 협측골이 1.5 mm 이하로 얇아 보입니다. 그냥 놔두었을 때 협측골의 흡수가 예상됩니다. 보다 안정적인 골생성을 위해 치조골보존술을 시행하기로 하였습니다.

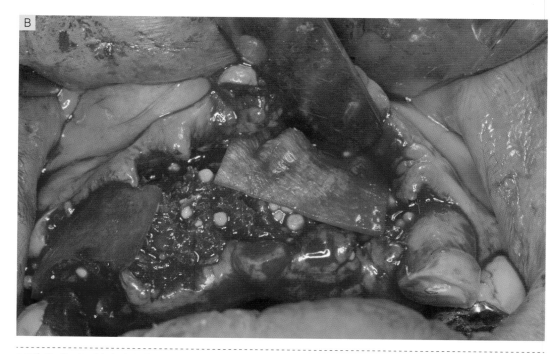

그림 3-6　B. 이식재와 흡수성 멤브레인을 함께 사용하였습니다. 이식재는 대부분 동종골을 사용하였습니다. 흡수성 멤브레인을 사용한 이유는 발치 후 연조직의 피개가 완전치 않으므로 멤브레인으로 덮어 주어 이식재의 유출을 막으며 멤브레인이 자연스럽게 흡수되면서 연조직이 잘 덮이도록 하기 위함입니다.

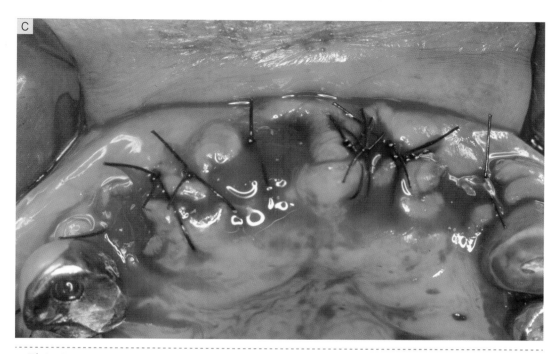

그림 3-6 C. 봉합 후에 발치와는 연조직으로 완전히 덮이지 않았습니다. 그러나 멤브레인이 덮고 혈병이 어느 정도 연조직의 defect를 덮고 있습니다. 이때 주의사항은 감염이 되지 않도록 환자가 수술 부위를 잘 닦아 주도록 해야 한다는 것입니다.

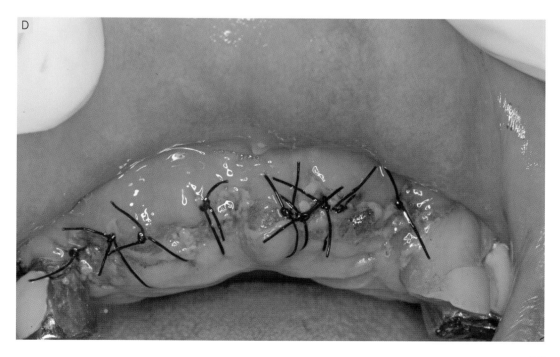

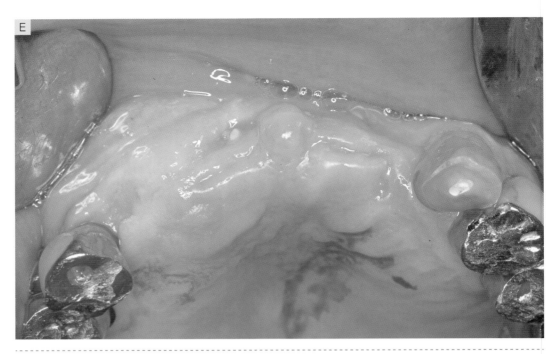

그림 3-6 D, E. 발치와가 연조직으로 잘 덮여 가고 있습니다.

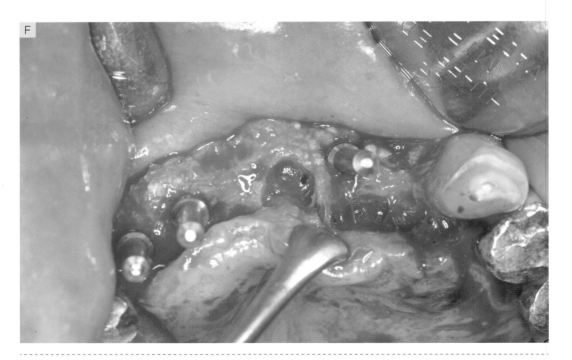

그림 3-6 F. 잘 재건된 치조골을 볼 수 있습니다.

CASE 5 이식재 + 흡수성 멤브레인 – 쉽게 한 CASE 3

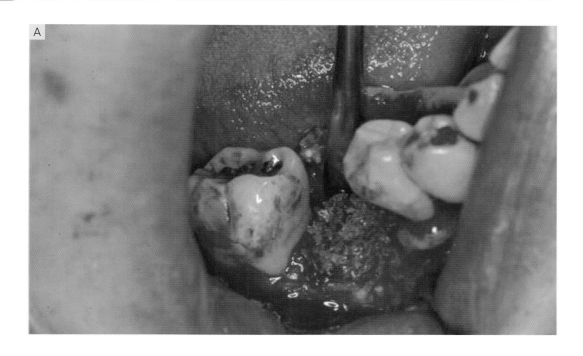

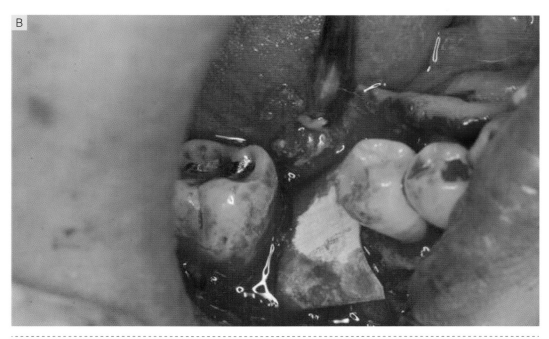

그림 3-7 A, B. 간단한 방법으로 동종골을 넣고 흡수성 멤브레인을 사용하였습니다. 골이식 실패 후 연조직의 상태가 좋지 않았으므로 releasing incision은 하지 않고 자연스럽게 덮습니다.

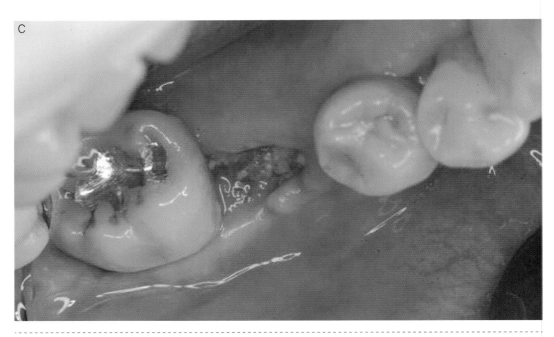

그림 3-7 C. 멤브레인 노출 후 멤브레인은 흡수되어 없어지고 그 밑의 이식재가 보이나 치유가 잘 일어
나고 있습니다.

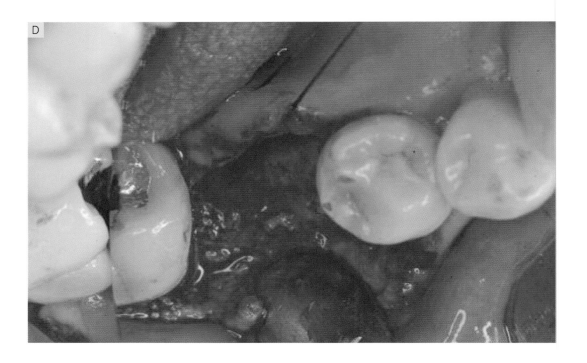

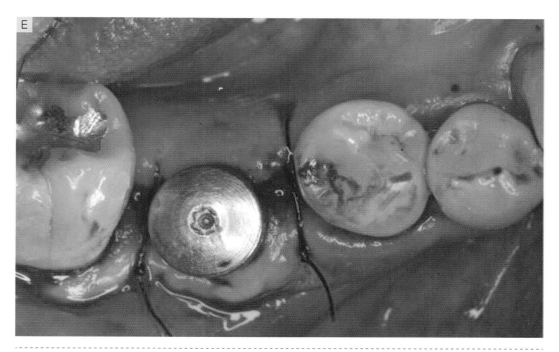

그림 3-7 D, E. Buccal plate를 비롯하여 발치와는 골로 재생되었고 임플란트를 식립하였습니다. 복잡한 플레이트가 필요치 않았음을 확인할 수 있습니다.

References

- Int J Oral Maxillofac Implants. 2011 Mar-Apr;26(2):385-92. Heberer S, Al-Chawaf B, Jablonski C, Nelson JJ, Lage H, Nelson K. Healing of ungrafted and grafted extraction sockets after 12 weeks: a prospective clinical study.

memo

이식재의 선택

SIMPLE CHOICE OF GRAFT AND MEMBRANE

단정배의
ECES
Concept & Technique

Evidence Based

Clinically Oriented

Experience Approved

Simplified

이식재의 선택 기준

❖ 이식재는 단순히 3가지로 생각하면 됩니다.

1) 공간을 유지해주고 흡수되어 골로 대체되는 용도
2) 위 1)의 용도 + 골유도 능력을 가진 용도
3) 공간 유지능력은 거의 없고 골유도 능력 위주의 용도

1) 의 용도로 사용되는 것은 합성골과 동물의 뼈의 유기 성분을 제거한 이식재가 이에 속합니다. 이런 종류의 이식재의 경우 상악동을 제외하고는 주어진 시간 내에 골재생을 기대하기 어렵습니다. 상악동의 경우 동종골을 꼭 쓰지 않더라도 합성골로 공간을 유지하는 것만으로도 골재생이 잘 이루어집니다. 그것은 상악동이 발치와 같이 5 wall defect에 가까운 상황이기 때문인 것으로 생각되고 있습니다.

합성골은 저마다의 성분의 차이와 구조의 차이를 이야기하고 있으나 가격이 싸고 조작성이 좋은 것을 선택하여 사용하는 것이 key입니다. 조작성은 입자의 크기가 제일 중요하며 입자의 크기가 1~2 mm 크기인 것이 사용하기 편리합니다. 입자가 너무 작으면 이식재가 여기 저기 흩

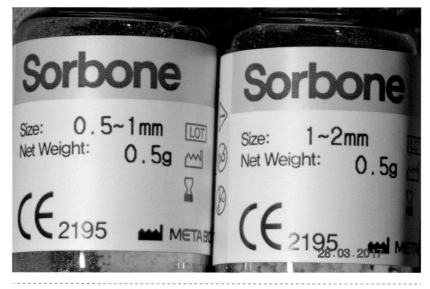

그림 4-1 같은 무게에 이식재의 크기가 다른 것이 있습니다.

어지고 blood에 의해 잘 뭉쳐지지 않으며 같은 용량이라 할지라도 더 많은 양이 필요합니다. 또 입자가 너무 작으면 공간을 너무 촘촘하게 채우므로 blood clot에 의한 bone fill을 더 지연시킬 뿐입니다.

그림 4-2 공간에서 차지하는 부피를 비교해 보면 같은 무게이지만 입자가 큰 것이 더 큰 공간을 차지하는 것을 알 수 있습니다.

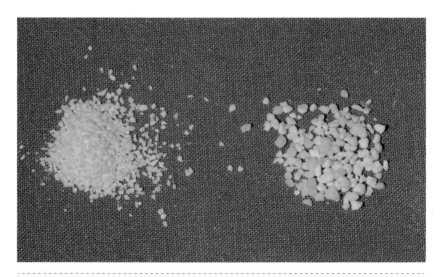

그림 4-3 육안으로 현저한 크기의 차이를 확인할 수 있습니다. 작은 공간에 이식재를 밀어 넣어야 할 경우가 아니라면 크기가 1~2 mm인 것을 사용하는 것이 조작성이나 경제적인 면에서 모두 유리합니다.

2) 의 용도로 사용되는 것은 자가골, 동종골로서 단순히 흡수되어 골로 대체되는 것으로 끝나는 것이 아니라 골유도 능력이 있는 이식재가 이에 속합니다. 합성골 이식재나 이종골 이식재에 비해 공간 유지도 되면서 더 빠르고 효과적인 골재생을 기대할 수 있습니다.

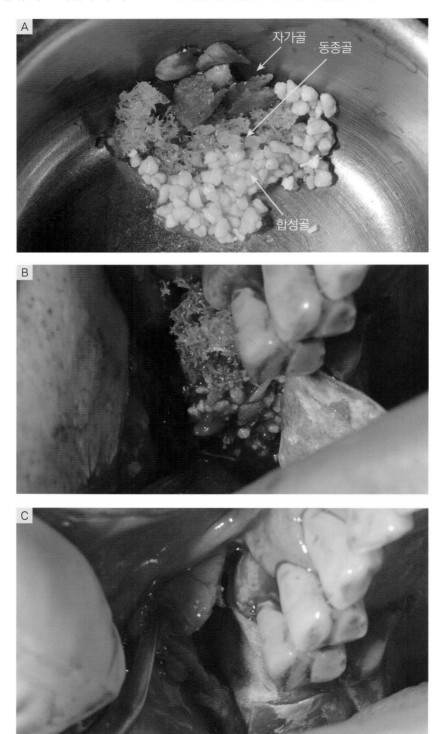

그림 4-4 A, B, C. 자가골과 동종골은 합성골이나 이종골에 비해 더 빠른 골재
생을 기대할 수 있습니다.

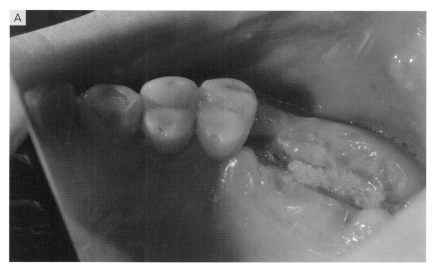

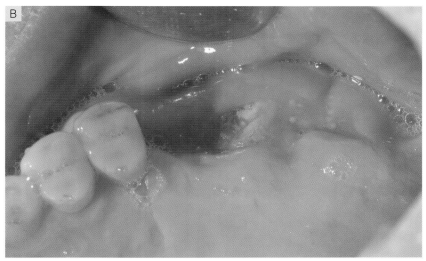

그림 4-5 A, B. 자가골, 동종골, 합성골을 같이 사용하였습니다. 이렇게 defect 가 큰 부위를 합성골로만 한다면 순수한 osteoconduction 만 으로 뼈가 재생되는데는 시간이 너무 많이 걸립니다. 이런 경우 자가골과 동종골의 골유도 능력을 통하여 빠른 골재생을 기대할 수 있습니다.

3) 의 용도로 사용되는 것은 BMP, DBM(Demineralized bone matrix)으로서 공간 유지 능력이 거의 없으므로 공간 유지가 필요한 부위에서 단독으로 사용하면 안 됩니다.

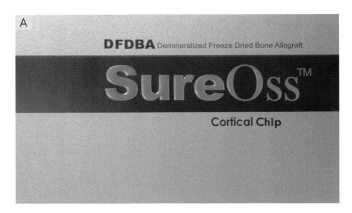

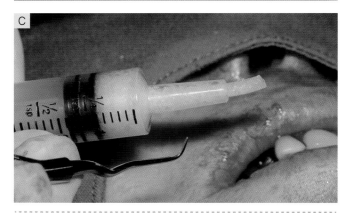

그림 4-6 A, B, C. DFDBA(Demineralized Freeze Dried Bone Allograft), DBM(Demineralized Bone Matrix) 등은 공간 유지 능력이 없으므로 공간이 필요한 곳에 단독으로 쓰면 공간 유지가 안 되어 소용이 없습니다.

저자의 경우 공간 유지능력이 없고 가격은 비싼 DBM 계통의 이식재는 거의 쓰고 있지 않습니다.

❷ 합성골의 이식 후 변화와 합성골의 사용

합성골은 시간이 걸리기는 하나 뼈로 되는 것을 확인할 수 있습니다(osteoconduction).

합성골의 골재생 효과는 합성골 이식을 한 부위의 bone defect 상태뿐 아니라 '시간'이라는 요소가 매우 중요합니다. 이 개념은 합성골을 사용하는데 중요한 개념입니다. 즉, 대부분은 뼈에 의해 임플란트가 지지를 받을 수 있고 일부에 bone defect가 있는 경우, 경제적이고 volume 유지가 좋은 합성골의 사용이 가능합니다. 또한 defect는 없지만 협측 골판이 얇은 경우 장기적인 안정을 위해 합성골이 매우 유용하게 쓰일 수 있습니다. 왜냐하면, 당장은 임플란트 모두가 건강한 뼈에 의해 덮여 있어 나머지는 시간이 걸려 부가적인 뼈가 생겨도 상관이 없기 때문입니다.

1) 합성골의 골재생

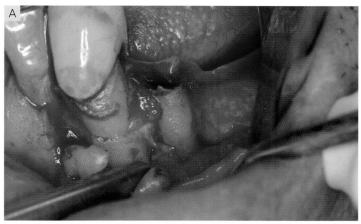

그림 4-7 A. 발치 전 협측골의 완전한 파괴를 보여 줍니다.

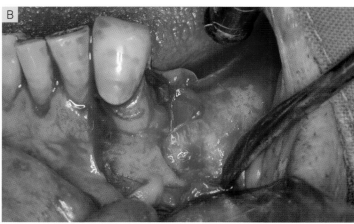

그림 4-7 B. 발치 후 4 walls defect를 보여 줍니다.

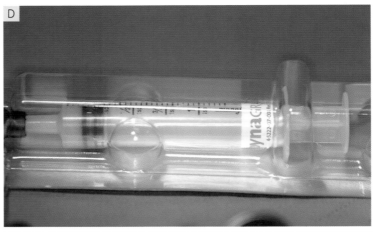

그림 4-7   C. D. Defect 부위는 합성골로만 채우고 골생성을 촉진한다
는 생각으로 표면에 DBM인 dyna graft를 덮어 주었
습니다. 그러나 실상은 그리 도움이 되었던 것 같지 않
고, 차라리 동종골을 넣는 것이 좋았겠다 생각됩니다.

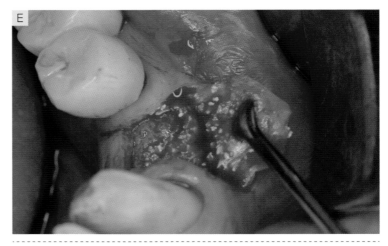

그림 4-7   E. 골이식 후 2개월 후의 모습입니다. 합성골 이식 후 충분한
기간은 아니기 때문에 아직 osteoconduction이 충분히
일어난 것은 아닙니다.

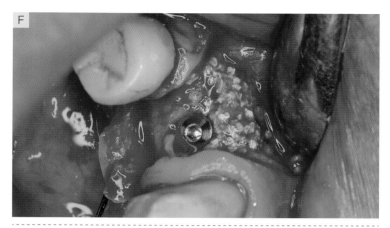

그림 4-7 F. 임플란트 식립 후 모습입니다. 아직 협측의 많은 부분은 합
성골 이식재가 그대로 있습니다.

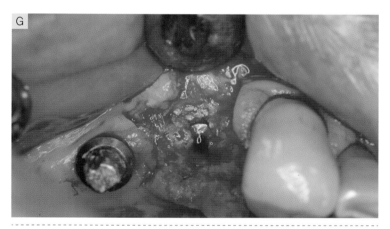

그림 4-7 G. 식립 후 8개월이 지났습니다. 협측에 아직도 이식재가 보
입니다. 임플란트의 협측으로는 혈관 공급이 적기 때문에
osteoconduction에 불리합니다. 이런 경우 골이식 후 좀
더 기다렸다가 임플란트를 식립하는 것이 더 안정적이었을
것입니다.

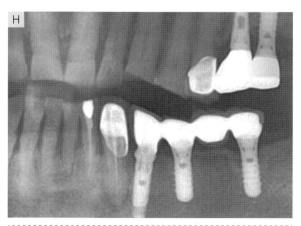

그림 4-7 H. 7년이 지나서의 모습입니다. 치조정 부근
의 뼈는 안정적이며 임플란트도 잘 기능하
고 있습니다.

2) 멤브레인 없이 1 wall defect에 있는 합성골이 뼈가 될까? Yes!

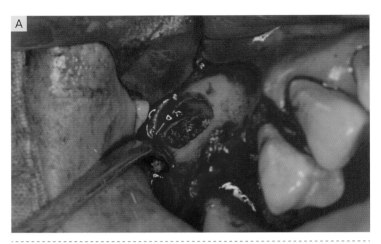

그림 4-8 A. 상악동 골이식 중 합성골 이식재가 제1대구치 치조골 부근에 우연히 남게 되었습니다.

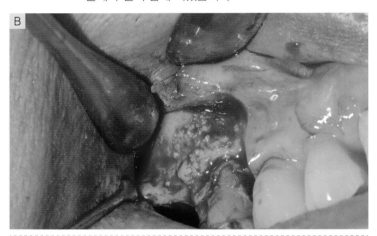

그림 4-8 B. 7년 후 다른 부위를 치료하기 위해 판막을 열었다가 우연히 이전에 골이식재가 위치한 자리를 발견하게 되었습니다.

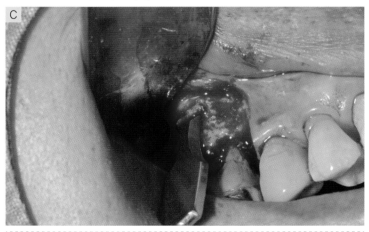

그림 4-8 C. 멤브레인도 없이 그냥 one wall defect에 위치한 합성골 이식재! 동종골도 아니고 과연 이 합성골 이식재는 어떤 조직학적 모양을 하고 있을까요?

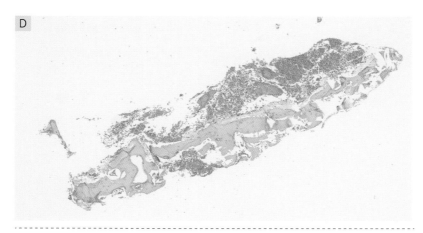

그림 4-8 D. 채취한 골편의 약확대 사진입니다. 전체적인 trabecular pattern
을 볼 수 있습니다.

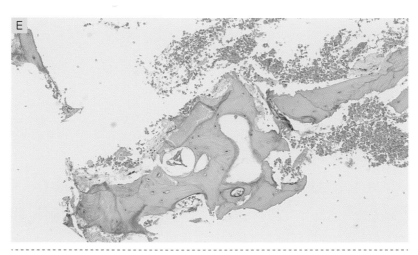

그림 4-8 E. 보라색으로 염색된 골이식재가 흡수되면서 골형성이 되는 전형
적인 osteoconduction을 확인할 수 있습니다.

위 조직사진은 합성골 사용에 대한 큰 확신을 주는 중요한 발견입니다. 시간만 주어진다면 합
성골은 정상적인 골로 대체되는 것을 확인할 수 있습니다.

③ 멤브레인은 어떨 때 사용하고 무얼 사용할까?

1) 멤브레인의 사용기준

멤브레인을 어떨 때 사용하고 어떨 때 사용하지 않는지는 원칙을 정하기가 쉽지 않습니다. 명확하지 않은 경우라면 멤브레인을 같이 써주는 것이 안정적이나, 비용적인 측면을 생각할 때, 하지 않아도 되는 경우를 알고 차츰 경험을 늘리면서 임상적 분별력을 갖는 것이 필요합니다.

대략적인 원칙은 파괴된 wall이 많을수록 멤브레인을 같이 써 주고 파괴된 wall이 적을수록 이식재만으로도 충분하다는 것입니다. 임상 경험으로 써야 할 경우와 쓰지 않을 경우를 가려내는 능력을 키우는 것이 필요합니다.

구체적인 것은 임상 증례 장에서 다루기로 하겠습니다.

2) 어떤 멤브레인을 사용할까?

흡수성이니 비흡수성이니, 또 비흡수성은 pore size가 얼마이니 하는 복잡한 이야기들은 임상적인 경험에 의하면 크게 의미가 없었습니다.

단순히 흡수성 하나로 99%를 해결한다는 것이 저의 결론입니다. 가장 안전하며 원하는 효과를 충분히 얻기 때문입니다. 나아가서 더 단순하게 멤브레인을 점점 더 쓰지 않는 경험을 늘려간다면 멤브레인 없이도 골이식을 하게 되지 않을까 하는 정도입니다.

다만 멤브레인마다 빳빳한 것도 있고 그렇지 않은 것도 있는데 경우에 따라서는 빳빳한 성질의 것이 조작하기가 편리할 때가 많아 빳빳한 성질의 멤브레인을 선호하는 편입니다.

멤브레인을 위치시킬 때 식염수나 blood에 적시지 않고 빳빳한 상태에서 골막 아래로 끼워 넣듯이 위치시키고 그 다음 이식재를 넣는 것이 쉽게 잘 할 수 있는 포인트입니다(3장 참조).

멤브레인의 흡수성에 대해서는 회사의 자료들을 다 신뢰할 수는 없으나 어떻든 노출되었을 때는 빨리 흡수되어 연조직이 잘 차고 노출되지 않은 부위는 가능한한 오래 가는 것을 선택하는 것이 좋겠습니다. 최종적인 선택은 가격을 따져 보고 2~3가지 회사 것을 몇 번 사용해 보면 결론이 납니다. 어떤 멤브레인이 더 골재생 효과가 좋을까에 고민할 필요는 없습니다. Anything! 이라고 말하면 너무 극단적으로 들릴 수도 있지만 어느 것이 좋을까 고민하고 연구할 필요는 없다는 뜻입니다.

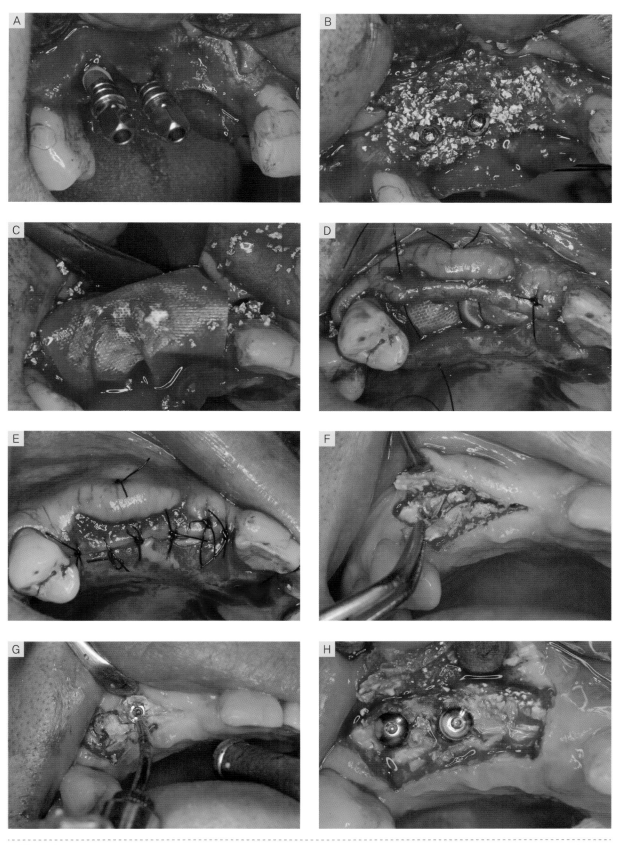

그림 4-9

Simple Tips

그림 4-9. 상악 전치부에 심미적인 이유로 약간의 vertical augmentation이 필요했습니다. 대부분의 골융합은 임플란트의 대부분에서 얻어지기 때문에 나머지 노출된 부분은 시간적으로 여유가 있습니다. 때문에 동종골과 더불어 합성골을 많이 사용하였습니다. Horizontal matress suture로 flap의 장력을 줄여 주고 안정화시킨 다음 나머지는 simple suture로 마무리 합니다. 멤브레인은 Ossix라는 상품명의 제품이며 제조사 주장에 의하면 6개월까지 지속되는 제품입니다. 실제로 멤브레인은 2차 수술 때까지도 흡수되지 않고 있는 것을 확인할 수 있습니다.

위 증례의 경우 노출의 위험을 감수하며 비흡수성 멤브레인을 써야 할 이유는 없어 보입니다. 더 나아가 꼭 흡수가 잘 되지 않는 가격이 비싼 것을 써야 하는가? 물론 이 증례에서는 가격이 비싼 흡수성 멤브레인을 쓰기는 하였습니다. 하지만 가격이 저렴한 흡수성 멤브레인을 쓰면 더 못한 결과가 나올 것인가? 아니면 아예 멤브레인을 쓰지 않는다면 어떻게 되었을까? 이런 실험적인 정신과 의문은 임상의 폭을 더 넓게 해 줍니다. 현재 저자는 많은 경우에 멤브레인을 잘 쓰지 않는 방향으로 나아가고 있습니다.

CHAPTER 05

발치 후 즉시 임플란트

SIMPLE CONCEPT FOR IMMEDIATE IMPLANTATION

단정배의
ECES
Concept & Technique

Evidence Based

Clinically Oriented

Experience Approved

Simplified

발치 후 즉시 임플란트 식립은 치료 기간을 단축시키고 환자의 수술 횟수를 줄여 환자가 받는 스트레스를 줄여 준다는 면에서 장점이 있는 테크닉입니다.

발치 후 즉시 임플란트 식립의 판단 기준은 앞에서 살펴 보았습니다. 협설측 bone plate가 건전할 경우 보철적으로 맞는 식립 위치와 각도로 드릴링을 하다 보면 대부분 기존의 치아의 치근이 있었던 방향이나 위치와는 다르기 때문에 초기 고정을 얻어 임플란트를 식립할 수 있습니다.

① 발치 후 즉시 임플란트를 위한 베이직

발치 후 즉시 임플란트 식립을 하면 임플란트와 치조골 사이에 공간이 존재합니다. 이 공간은 어떻게 될까요? 여기에 무언가 넣어야 할까요?

1) Gap은 가능한 한 없어야 하며, 있다면 이식재를 채워야 한다?

1983년 Harris 등은 임플란트와 뼈 사이가 공간 없이 잘 맞는 것이 적절한 골융합의 성공에 아주 중요하다고 하였으며 0.5 mm 이상의 gap이 있으면 안 된다고 하였습니다.

1988년 칼슨 등은 토끼의 실험을 통해 turned surface implant의 경우 6~12주의 치유기간을 지켜 본 결과 0.35 mm 이상에서는 골 형성이 안 된다고 하였습니다.

1991년 메퍼트 등이 개의 실험에서 9주 동안의 치유를 지켜 본 결과 1 mm의 gap에서는 골 형성이 실패하였다고 하였습니다.

1999년 아키모토는 개의 실험에서 골생성 여부는 골결손부에 임플란트를 식립하고 그 gap이 없는 경우 gap이 0.5 mm인 경우, 1 mm인 경우, 1.4 mm인 경우를 비교하면서 골 생성 여부는 골결손부 크기에 달려 있다고 하였습니다.

이런 사람들의 연구들을 생각한다면 발치와에 임플란트를 심고 나서 결손부의 크기가 없거나 최소한이 되어야 한다는 생각을 하게 됩니다.

또다른 주장을 보겠습니다. 2014년 Garcoa 등은 발치 후 즉시 임플란트에 대한 프로토콜을 제시하면서 바이오-오스 등을 넣을 것을 주장합니다.

그 이유는 buccal plate와 임플란트 사이의 gap에 변연골과 임플란트 간의 접촉을 증진시키고 연조직의 recession을 예방하기 위함이라고 설명하고 있습니다.

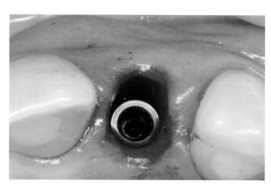 

A NEW PROTOCOL FOR IMMEDIATE IMPLANTS. THE RULE OF THE 5 TRIANGLES: A CASE
REPORT
Author: Jaime Jiménez García, DDS, Phd; Daniella Sanguino, DDS. Institution: Universidad Europea de
Madrid. Madrid, Spain. Publication date: 1 December 2014

그림 5-1 2014년에 발표된 유럽의 어느 논문입니다. 일률적으로 발치와의 빈자리에 이렇게 합성골을
넣는 것이 좋은가는 생각을 해보아야 합니다.

또 하나 혼돈을 주는 단어가 바로 "jumping distance"라는 말입니다. Jumping distance라는 것
은 발치와에 임플란트를 식립한 경우 임플란트와 bone과의 gap 거리인데 1.5 mm 이상이 된다
면 이식재를 채워야 한다는 것입니다.

그러나 buccal plate의 뼈 두께를 고려하지 않고 공식처럼 gap에는 이식재를 채우는 것에 대해
서는 잘 생각해 볼 필요가 있습니다.

2) Gap은 이식재 없이도 뼈가 찰 수 있으며 buccal plate의 상태, 연조직의 biotype에 따라 판단해야 한다.

반면에 1994년 Scipioni 등의 개를 이용한 연구에 의하면 ridge expansion technique을 사용했
을 때 5 mm 이상의 gap에서도 골 형성이 된다고 하였습니다.

Persson 등은 1999년에 역시 개를 이용한 연구에서 임플란트 변연부의 깊고 넓은 결손부에서
도 뼈가 채워진다고 하였습니다.

2003년 Botticelli 등의 연구는 앞서 언급한 "jumping distance"에 대한 개념을 다시 생각하게
합니다.

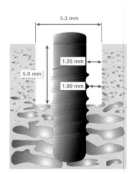

After 4 month   No graft. no membrane

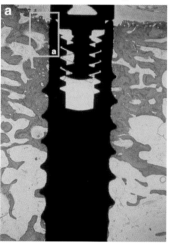
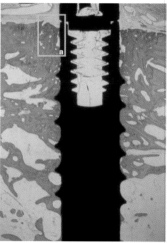

Botticelli D, Berglundh T, Buser D, Lindhe J. Thejumping distance revisited

Clin.OralImpl. Res, 14, 2003; 35–42

그림 5-2 Defect 부위가 이식재와 멤브레인 없이 채워진 것을 확인할 수 있습니다.

　임플란트 주위에 5 mm 깊이에 1.25 mm의 gap이 있도록 식립했을 때 멤브레인이나 이식재 없이 치조골 정상까지 bone fill이 이루어졌음을 확인할 수 있습니다.

임플란트 표면으로부터의 골 생성

2003년 Berglundh 등의 연구에 의하면 SLA 표면을 가진 임플란트에서 뼈 생성이 임플란트 주위 뼈로부터 차 들어오는 것이 아니라 임플란트 표면에서부터 시작될 수 있다는 것을 보여 주었습니다. 이러한 현상은 발치 후 즉시 임플란트 식립 시 gap에 이식재를 채우지 않더라도 우수한 임플란트 표면에서는 bone fill이 잘 일어날 수 있다는 또 하나의 근거가 됩니다.

DE NOVO ALVEOLAR BONE FORMATION ADJACENT TO ENDOSSEOUS IMPLANTS
• A model study in dog
• Clin Oral Impl Res, 14. 2003, 251-262

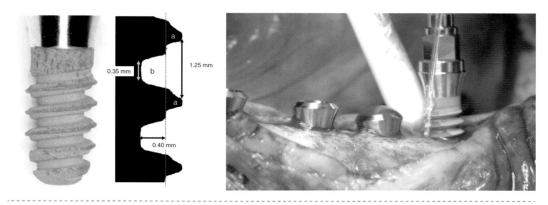

그림 5-3 A. 개의 턱뼈에 임플란트를 식립합니다.

• 2h coagulation

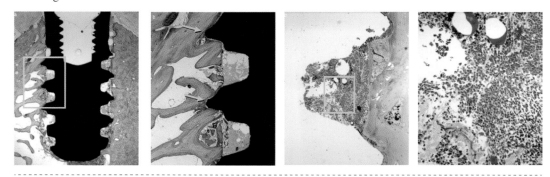

그림 5-3 B. 2시간 후에 혈액 응고가 일어나기 시작합니다.

• 4 days: connective tissue rich in vascular structure

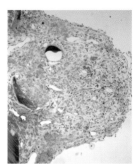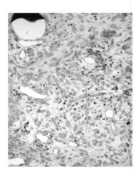

그림 5-3 C. 4일이 지나 혈관이 풍부한 결합 조직이 들어 차게 됩니다.

• 1 week: First sign of bone formation

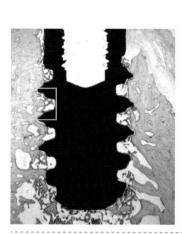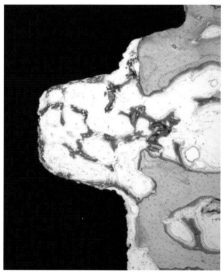

그림 5-3 D. 일주일이 지나 처음 골생성이 임플란트 표면에서 나타나기 시
작하며 이것은 임플란트 주위의 뼈에서 자라 들어온 것이 아니
라 임플란트 표면에서 유도되어 생긴 것입니다. 이것은 우수한
임플란트 표면의 osteoconductivity를 나타내며 발치와에 심
어진 임플란트에 gap이 존재하더라도 임플란트 표면으로부터
의 골생성이 일어날 수 있음을 시사하는 것입니다.

③ 결론

❖ 발치와에 임플란트를 식립했을 때 생기는 gap에 어떤 일이 일어나는가?

임플란트의 표면 처리 기술에 따라 강력한 임플란트 표면으로부터의 골 생성은 발치와 즉시 임플란트의 성공율을 높이며 buccal plate가 충분한 두께(1.5~2 mm 이상)일 경우 이식재 없이도 골생성이 가능하다는 것을 기억할 필요가 있습니다.

저자의 경우 이전에 스트라우만 임플란트의 경우 구치부에서도 발치 후 즉시 임플란트 식립을 많이 하였으며 스트라우만 임플란트의 표면 처리 기술을 임상적으로 확인할 수 있었습니다.

국산의 경우 구치의 발치 후 즉시 식립 임플란트는 안정성이 다소 떨어진다는 것이 저자의 경험입니다. 몇 경우에서 발치와의 gap에 bone이 잘 차지 않는 것을 경험하였기 때문입니다.

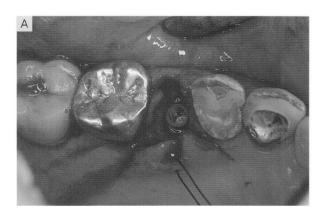
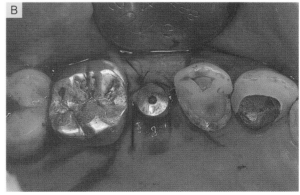
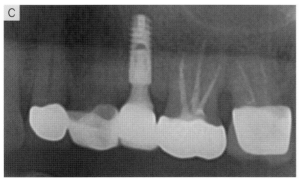

그림 5-4 A. 발치 후 즉시 임플란트를 식립하였습니다. 외산 A사의 cell-plus 표면의 임플란트입니다.
B. 수술 직후 모습입니다.
C. 4년 후 crestal bone이 풍융하게 잘 유지되고 있으며 안정적으로 기능하고 있습니다.

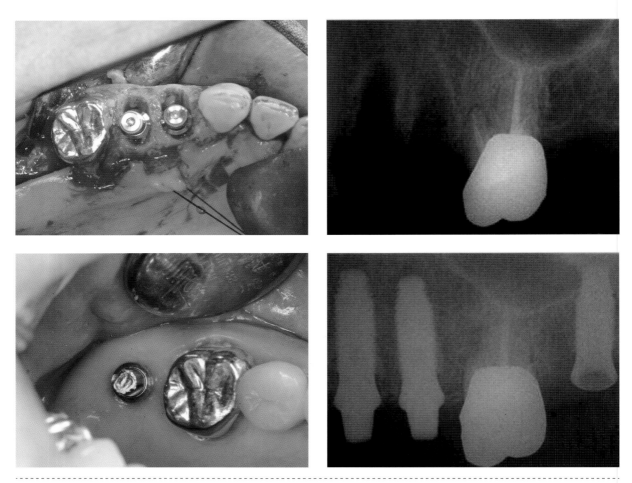

그림 5-5 국산 O사의 RBM 표면입니다. 발치 후 즉시 임플란트 식립을 하였으며, 제1소구치 협측에 fenestration이 보이지만 buccal plate가 두꺼우므로 이식재를 사용하지 않았습니다. 3개월 후에 bone fill이 다 이루어졌습니다. 우수한 임플란트 표면의 quality를 말해 줍니다.

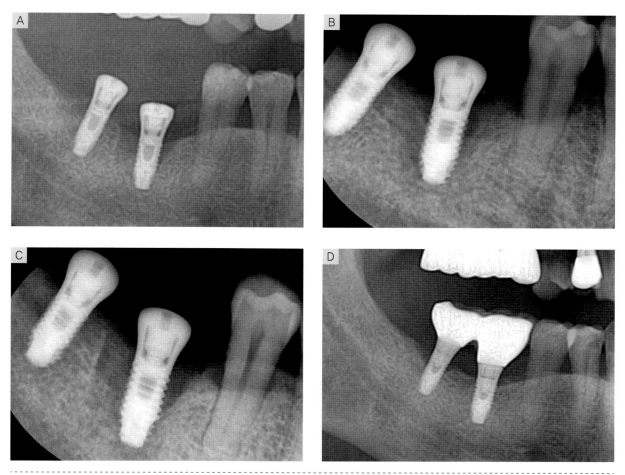

그림 5-6 동일한 O사의 RBM 표면 임플란트입니다. 식립 직후(A), 3개월(B), 5개월(C), 2년(D) 후의 방사선 사진 비교입니다. 식립 5개월이 지나서도 완전한 bone fill이 이루어지지 않았습니다. 이 경우는 식립과 동시에 발치와 defect에 동종골 이식을 시행하였습니다. 임플란트의 표면도 표면이지만 발치와의 healthy한 condition이 bone fill에 영향을 미침을 알 수 있습니다.

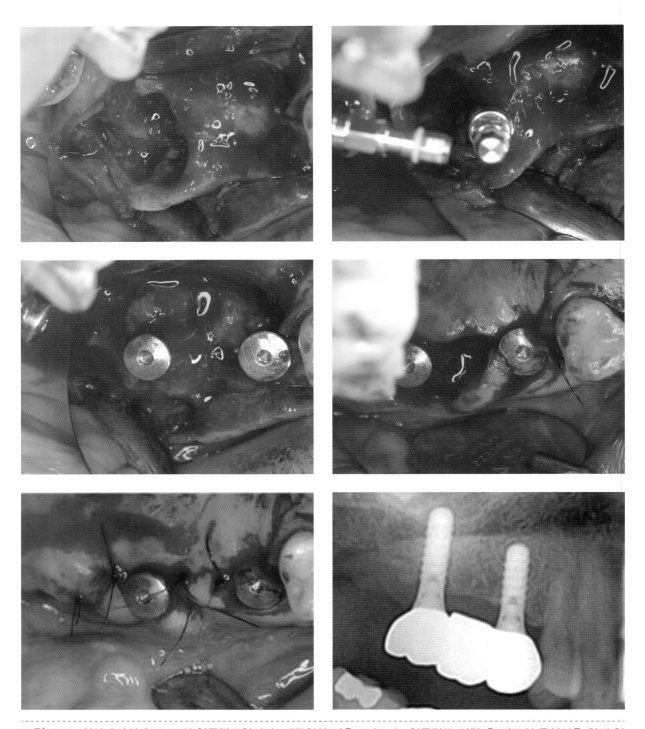

그림 5-7 외산 S사의 SLA 표면 임플란트입니다. 대구치의 넓은 defect는 임플란트 식립 후 별도의 골이식을 하지 않고 blood로만 채워집니다.
8년 후 bone fill이 잘 된 상태로 기능을 잘 하고 있습니다.

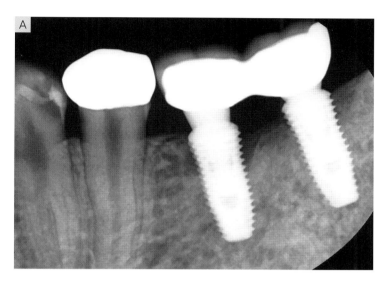

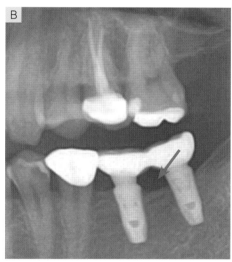

그림 5-8 A. 국산 D사의 RBM 표면 임플란트입니다. 제1대구치 부위 임플란트 원심에 채워지지 않은 bone defect가 관찰됩니다. 환자 개개인의 치유능력이나 임플란트 식립 부위의 뼈의 건강도, 임플란트 표면의 골전도 능력에 따라 차이가 날 수 있습니다.

B. 위 사진으로부터 4년 경과 후 defect가 잘 채워진 것을 확인할 수 있습니다. 염증 소견만 없다면 장기적으로도 defect가 채워질 수 있음을 확인할 수 있습니다. 즉, D사 임플란트 표면의 osteoconductivity는 초기에는 약간 떨어지나 장기적으로 갔을 때 그래도 우수한 점이 있음을 인정할 수 있습니다.

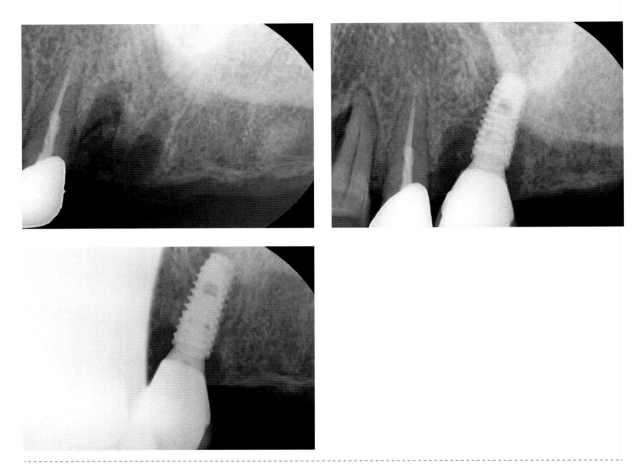

그림 5-9 국산 O사의 CA 표면 임플란트입니다. 발치 후 즉시 식립하였으며 별도의 이식재는 사용하지 않았습니다. 약 10주만에 보철을 하였습니다. 보철 당시 발치와의 bone defect는 아직 많이 채워지지 않은 소견이었으나 동요도 측정시 높은 값이 나와 보철을 시행하였습니다. 그로부터 1년이 지난 후의 방사선 사진에서는 bone defect가 어느 정도 채워져 가는 것을 확인할 수 있습니다.

골재생을 위한 필수 도구

SIMPLE AND ESSENTIAL INSTRUMENTS

단정배의
ECES
Concept & Technique

Evidence Based

Clinically Oriented

Experience Approved

Simplified

자가골 채취를 제외한 골이식술에서는 특별한 기구가 필요한 것은 아닙니다.

일반적인 수술 세트를 만들어 세팅을 해 두면 좋으며 가끔 쓰는 것은 별도의 포장을 하여 약속된 장소에 보관하여 필요할 때마다 꺼내어 쓰게 합니다.

포장을 한 것이 얼마가 경과할 때까지 유효한가에 대해서는 약간의 논란이 있지만 임플란트 수술 및 골이식술에 있어서의 감염 여부는 수술시의 조건보다는 수술 이후 환자의 구강위생관리가 critical한 요소이므로 포장 소독 후 오랜 보관 기간 때문에 문제가 되지는 않습니다.

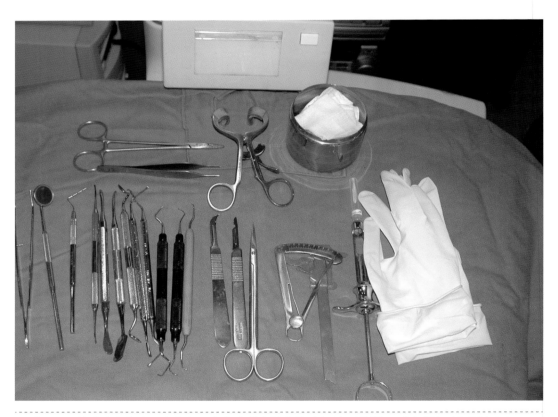

그림 6-1 일반적인 유니트체어의 브라켓 테이블 위에 올려 놓아 사용하는 기본적인 기구들입니다.

그러나 보다 편리한 관리와 사용을 위해 세트를 구성해서 트레이에 보관하면 좋습니다.

① A set

❖ 술자가 essential하게 사용하는 세트를 구성합니다.

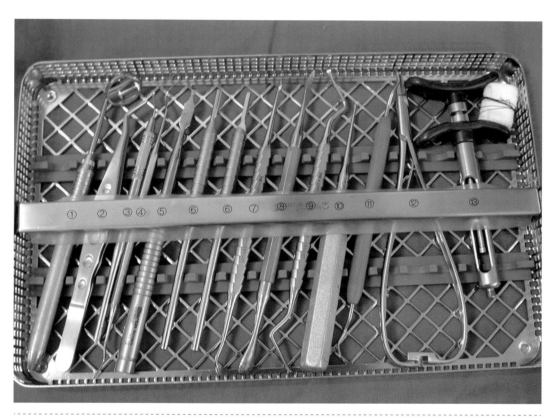

그림 6-2 필자가 사용하는 A set입니다. 편의상 A set라 부르며 모든 임플란트 수술에 기본이 되는 set
입니다. 수술하다가 예상치 못한 골이식이 필요할 때라도 왠만한 골이식술은 다 커버할 수 있
는 간단하고도 essential한 세트입니다. 트레이를 구해서 한 세트를 만들고 수술이 많으면 한
세트를 더 만들어서 준비할 수 있습니다.

A set의 구성

① 미러

② 핀셋 : 보통 쓰는 핀셋보다 연조직을 잡아도 미끄러지지 않는 좋은 질의 핀셋을 준비합니다.

③ 프로브 : 눈금이 잘 보이는 제품을 쓰며 15 mm까지 나와 있는 것이 좋습니다. 골 폭의 측정 및 임플란트 식립 위치의 선정에 아주 간단하면서도 유용하게 쓸 수 있습니다.

④ 익스플로러 : 일반적인 것이면 됩니다.

⑤ 오션 바인 치즐 : 매번 쓰는 것은 아니지만 사용빈도가 높아서 포함시킵니다.

⑥ Blade holder : 기본적으로 두 개를 준비하여 #12,#15 blade 두 개를 다 사용할 경우를 대비합니다. 기본적으로 한가지 블레이드만 사용하며 필요에 따라 추가적인 블레이드를 사용합니다.

⑦ Buser periosteal elevator : 임플란트 수술 시 좀더 섬세하게 골막을 박리하기 위해 Dr. Buser가 고안한 엘리베이터입니다. 큰 의미는 없지만 수술 시 좀더 섬세한 골막 핸들링이 필요하다 싶을 때 사용합니다.

⑧ 페리오스티얼 엘리베이터 : 골막 박리와 리트랙션에 유용하게 사용합니다.

⑨ 커브드 써지컬 큐렛 : 염증성 육아 조직을 제거하거나 설측의 점막과 골막을 섬세하게 박리하고자 할 때 사용해도 좋습니다.

⑩ 스트레이트 몰트 큐렛 : 골막 박리, 염증성 육아 조직 제거에 아주 유용하게 쓰며 사용 빈도가 매우 높습니다.

⑪ 큐렛: 양날을 같이 쓸 수 있는 큐렛을 준비하여 어떤 상황에서도 임플란트 식립할 부위 주변의 치아를 깨끗하게 준비하는 데 사용합니다.

⑫ 니들 홀더

⑬ 마취 주사기

② B set

보조자가 주로 쓰는 세트입니다. 술자가 쓰기도 하지만 A set 트레이에 미처 들어가지 못하는 나머지 기구들을 보관합니다.

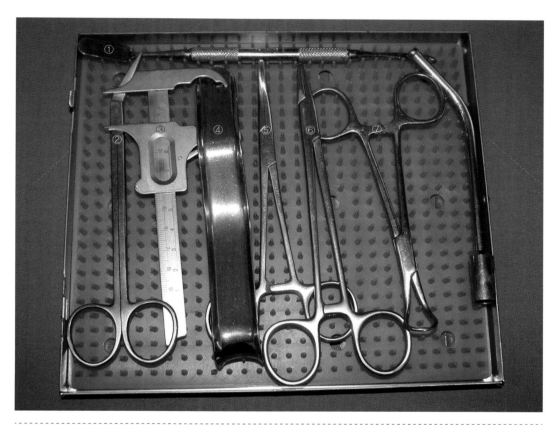

그림 6-3 B set: 보조자가 주로 쓰는 기구를 보관하는 트레이입니다.

B set의 구성

① 프리챠드 : 보조자가 cheek을 리트랙트할 때 주로 사용합니다.

② 시저

③ 캘리퍼스 : 소독이 가능한 쇠로 된 다른 자도 가능합니다. 드릴의 직경을 확인하거나 드릴의 길이를 확인할 때 사용합니다. 린데만 드릴 등을 쓸 때는 길이 표시가 없는 것도 있기 때문에 자를 하나 준비하는 것은 도움이 됩니다.

④ 컬럼비아 리트랙터 : 부위가 큰 골이식 수술 시나 상악동 수술 등을 할 때 사용합니다.

⑤ 메젠바움 : 소독 장갑을 끼지 않은 제2보조자가 멸균된 기구들을 정리하고 나를 때 사용합니다.

⑥ 니들 홀더 : 수술 부위 플랩을 슈처한 뒤 무거운 니들 홀더로 늘어 뜨릴 때 사용합니다.

⑦ 타월 클램프 : 수술포를 덮고 수술 부위를 안정적으로 확보해주는데 도움을 줍니다.

③ C set

임플란트 모터 및 그 외 수술 준비 부분을 준비하기 위한 세트입니다.

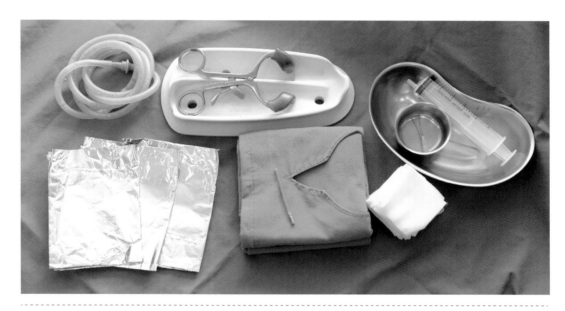

그림 6-4 세트별 표준화를 통해서 기구 관리와 준비를 효과적으로 할 수 있습니다. 기구 세트 사진을 찍어 수술이 끝난 다음 기구를 제자리에 놓도록 관리합니다.

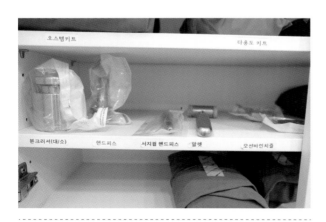

그림 6-5 세트 별로 선반에 라벨을 붙여 보관합니다.

그림 6-6 자주 쓰이지 않고 필요할 때만 쓰는 기구들은 별도의 보관 장소에 라벨을 붙여 보관합니다.

기구 목록

❖ Essential GBR Kit (set up by Dan)

No	제품명	제조사
1	Blade #15C/#12D	
2	Periodontal Probe	American Eagle (UNC15)
3	Blade Holder	AESCLUP
4	Periosteal Elevator	G.Hartzell & Son
5	Prichard Curette	G.Hartzell & Son
6	Molt Curette (Straight)	Hu-Friedy
7	Mouth Prop	G.Hartzell & Son
8	Mouth Gag	G.Hartzell & Son
9	Surgical Drape	
10	Needle Holder	G.Hartzell & Son
11	Needle Holder for Tagging Suture	Miltex (8-44)
12	Surgical Curette	
13	Super Cut Iris Scissors – Curved	G.Hartzell & Son
14	Towel Clamp	G.Hartzell & Son
15	Kelly Hemostat Curved	G.Hartzell & Son
16	Minesota Retractor	
17	Ochesnbein Chisel #1	G.Hartzell & Son
18	Ochesnbein Chisel #2	G.Hartzell & Son
19	Ruskin Bone Rongeur (3 hinge)	Reicodent
20	Mallet	G.Hartzell & Son
21	Bone Mills	HK enterprise/호주
22	Solution Bowl	솔고메디칼
23	Debakey Atraumtic Tissue Forcep – Curved	미스터 큐렛

⑤ 각 술식에 따른 준비물

술식내용	준비물
sinus lift (crestal approach)	Osteotome 사이너스 리프트 키트 골이식재
block bone graft (블록 본 그래프트)	Microsaw (0.25 mm) surgical bur 오션바인 치즐 1 mm, 1.2 mm drill screw denture bur(블록 본을 트링밍할 때 사용) piezosurgery
sinus graft (lateral approach)	sinus bur straight handpiece sinus kit membrane 이식재 2 cc 정도
ridge split	리지 스플릿 세트 microsaw osteotome
GBR	멤브레인 이식재(동종골/합성골)
PRGF/PRF	토니킷 채혈시린지, 니들 원심분리용 유리관
자가골 채취	오션바인 치즐 말렛 본스크레이퍼 트레파인 본론져(큰 것)
즉시 임플란트 식립	페리오톰 본론져(작은 것): 루트레스트 발치용 린데만 드릴

memo

골재생에 도움되는 연조직 관리

SIMPLE SOFT TISSUE MANAGEMENT

단정배의
ECES
Concept & Technique

Evidence Based

Clinically Oriented

Experience Approved

Simplified

① 발치 후 즉시 임플란트를 위한 베이직

골재생 술식에 필요한 연조직을 다루는 테크닉 중 가장 중요한 것이 "advanced flap technique"입니다. Releasing incision을 통해 flap을 늘어 나게 하는 테크닉입니다. Releasing incision은 우리말로 감장 절개라고도 하는데, 장력을 감소시킨다는 뜻입니다.

이 테크닉의 요점은 골막에 절개를 가하는 것입니다.

Soft tissue management에 대한 여러 가지 테크닉이 있지만 골이식과 연관되어서는 releasing incision을 통한 advanced flap technique이 저의 경우 90% 이상을 해결한다고 해도 과언이 아닐 것입니다. 가장 simple하면서도 강력한 이 방법을 위주로 경험해 나가면서 숙달하고 발전시켜 나가는 것이 필요합니다.

뼈 위에 덮여 있는 연조직을 층별로 보면 뼈 바로 위에 골막이 있고, 그 위에 결합 조직, 또 경우에 따라서는 근육층 그 위에 상피가 있게 됩니다.

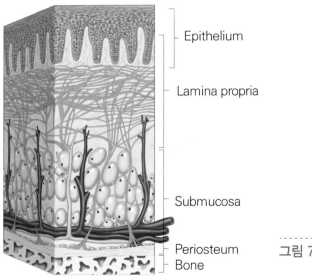

Epithelium

Lamina propria

Submucosa

Periosteum
Bone

그림 7-1 골막을 절단하면 나머지 조직은 쉽게 늘어 납니다.

그런데 장력에 저항하는 단단한 조직은 골막입니다. 이 골막만 절단하면 구강 전정이 낮아지면서 연조직은 쉽게 딸려 오게 됩니다.

골막에 가해지는 releasing incision은 mucogingival junction 아래에 가해지며 구강 전정에 가까울수록 천공의 가능성이 낮아 안전합니다.

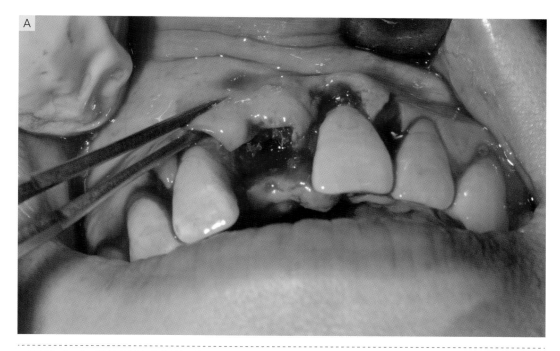

그림 7-2 A. 이식 부위의 치아 하나 정도 건너서 remote vertical incision을 시행합니다. Vertical incision의 길이가 길수록 조직의 가동성은 높아집니다.

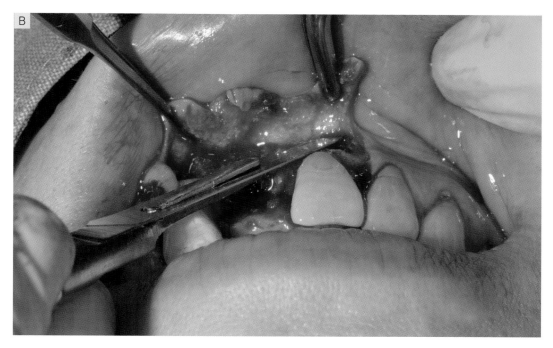

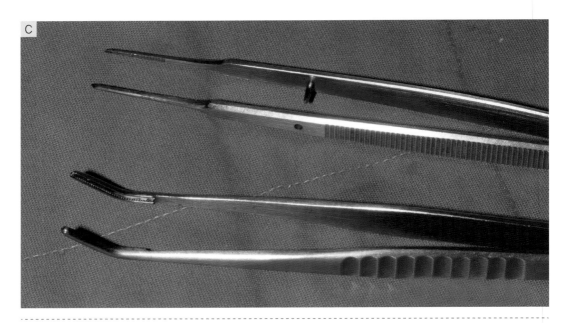

그림 7-2 B. C. 예리한 #15 blade로 periosteum을 절개합니다. Perforation을 방지하기 위해 blade의 각도는 약간 비스듬히 구강전정을 향해 합니다. 보조자는 판막의 한끝을 포셉으로 잡으며 술자 또한 판막의 다른 한쪽 끝을 포셉으로 당겨 주고 골막을 석션으로 깨끗하게 한 다음 블레이드로 골막이 절개되어 판막이 늘어나는 것을 확인하며 절개를 진행합니다.

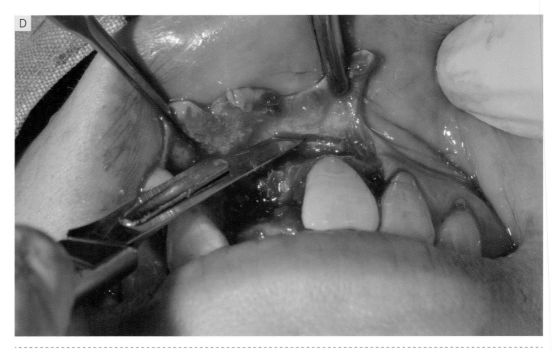

그림 7-2 D. 절개의 깊이로 늘어나는 양을 조절하며 절개는 한쪽 끝에서 시작하여 다른 끝을 향하여 연속적으로 시행하며 필요에 따라 양끝을 반드시 절개를 할 필요는 없습니다. 중간 중간 늘어나는 양을 확인해 보며 합니다.

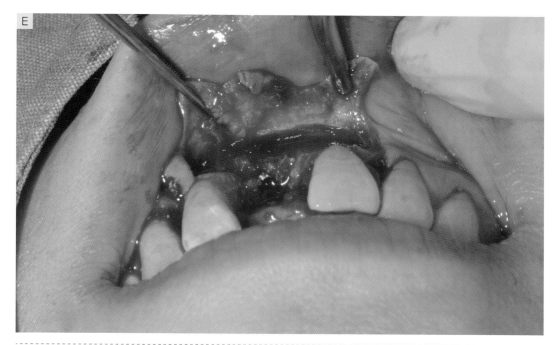

그림 7-2 E. 약간의 절개로도 많은 양의 연조직 피개 확보가 가능하며 tension free 봉합이 가능합니다.

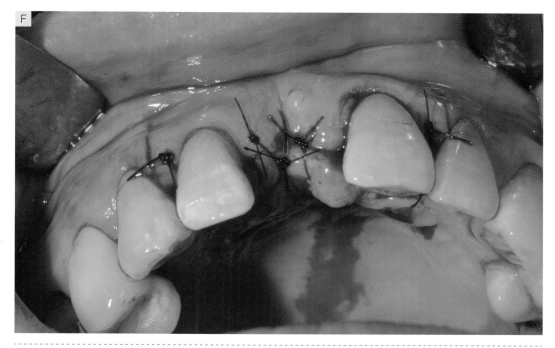

그림 7-2 F. 최종 봉합 후 모습입니다. Remote incision의 vertical incision의 시작은 가능한 한 치간 유두가 포함된 쪽을 하여 봉합이 쉽게 하도록 합니다.

89

1) Tip

(1) Tissue forcep과 예리한 #15 blade를 준비합니다.

(2) 골이식 부위에서 멀리 떨어진 곳까지 판막 디자인을 하여 수술 부위를 감염으로부터 보호하고 혈관 공급을 유리하게 하여 치유를 촉진하도록 합니다(remote incision).

(3) 설측의 판막은 수직 절개를 하지 않고 인접치의 sulcus를 따라 incision을 가하고 예리한 periosteal elevator로 깊숙히 박리합니다.

(4) 수직 절개는 mucogingival junction 아래 적어도 10 mm 이상까지 가야 합니다. 더 많은 양의 연조직을 당겨야 할 경우 수직 절개를 연장합니다(단, mental foramen 주변에서는 유의합니다.).

(5) 같은 수직 절개 양이라 하더라도 골막 박리를 더 깊숙히 주변으로 더 넓게 해나가면 연조직의 가동성이 높아집니다.

(6) 골막의 시야를 좋게 bleeding control을 합니다.

(7) 골막의 releasing incision은 mucogingival junction 아래에서 하며 한쪽 끝에서 반대쪽 끝으로 연속적으로 진행해 나갑니다. 절개의 깊이는 1~3 mm 정도로 하고 골막에 수직 내지는 60도 정도의 경사로 mucobuccal fold를 향합니다.

(8) Tissue forcep으로 살짝 잡아 당기며 절개된 골막이 위아래로 벌어지며 판막이 신장되는 것을 확인하며 절개합니다.

(9) 늘어난 판막의 양을 확인하고 양이 부족하다면 같은 절개선에 더 깊이 절개를 가하여 근육층까지 절개를 가하거나 좀더 apical 부위에 이전절개와 평행인 또 하나의 절개를 가합니다.

(10) 판막의 협측 끝이 구개측이나 설측으로 3~5 mm의 overlap이 되도록 확인합니다. 이 정도가 되어야 tension-free 봉합이 이루어집니다.

(11) Muscle release는 dissection scissors로 하는데 여기까지 필요할 일은 거의 없습니다.

(12) 박리된 설측 판막 밑으로 멤브레인을 미리 끼워 넣듯이 위치시킵니다.

(13) 골이식재를 놓습니다.

(14) 판막을 봉합합니다.

2) 증례

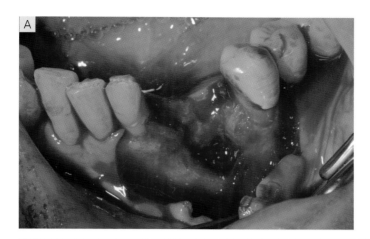

그림 7-3 A. 발치 약 6주 후에 골이식술을 시행하였습니다. 골이식을 하려는 부위를 중심으로 치아 하나씩 건너 remote vertical incision을 가합니다.

이 때 양쪽의 vertical incision은 수술하고자 하는 부위에서 멀리 하는 것이 보다 안정적 이며 vertical incision은 mucogingival junction 아래까지 충분히 내립니다. Incision line 아래로도 골막을 깊이까지 박리하면 판막의 가동성을 증가하며 이식 부위를 덮기가 쉬 워집니다.

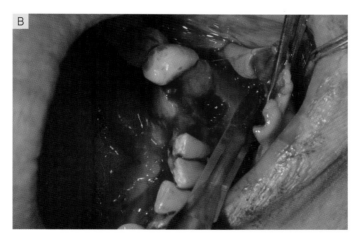

그림 7-3 B. Mucogingival junction 아래 골막에 horizontal 하게 releasing incision을 가합니다. 판 막을 잡고 있는 forcep은 일반 핀셋보다는 확실이 연조직을 잡고 잡아 당길 수 있는 tissue forcep을 사용하는 것이 좋습니다.

Blade는 예리한 #15 blade를 사용하며 날이 무디어진 것은 새로운 것으로 갈아 끼웁니다. 판막이 길 때는 보조자에게 한쪽을 잡고 술자는 반대편 한쪽을 잡아 힘을 주어 살짝 잡아 당기면서 incision을 가할 때 판막이 잡아 당겨지는 양을 확인합니다.

골막을 깨끗이 지혈하여 시야를 좋게 한 다음 절개되어 가는 부위와 양을 분명하게 보면서 절개를 하는 것이 좋습니다. 피가 많은 상태에서 시야도 좋지 않은데 적당히 절개를 넣으면 어디가 절개되는지도 모르고 천공될 위험도 있습니다. 또 절개선을 하나로 이어가기도 힘 듭니다. 수평 절개는 판막이 딸려 올라오는 양을 보며 한쪽 끝에서 시작하여 반대쪽을 향하 여 나아갑니다.

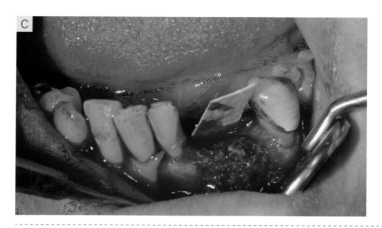

그림 7-3 C. 설측에는 수직 절개를 가하지 않고 골이식 부위에서 최소 치아 하나 이상까지 연장하여 gingival margin을 따라 sulcular incision을 가하고 periosteal elevator로 가능한 한 깊숙이 골막을 박리합니다. 이 공간으로 멤브레인을 미리 밀어 넣어 두면 깔끔하게 이식재를 담아 넣듯이 위치시킬 수 있습니다.

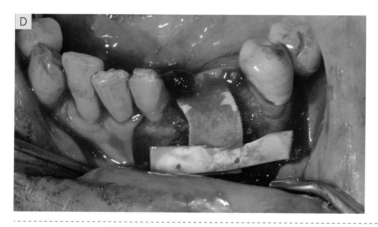

그림 7-3 D. 이식재 위를 멤브레인으로 덮었습니다. 만일 설측에 먼저 끼워 넣지 않고 먼저 이식재를 놓고 멤브레인을 핸들링하려면 멤브레인이 접히기도 하고 팽팽하게 되지도 않고 말라 접혀 올라오고 어려움이 생길 수 있으나 먼저 멤브레인을 꽂아 넣으면 이후 작업이 쉬워집니다.

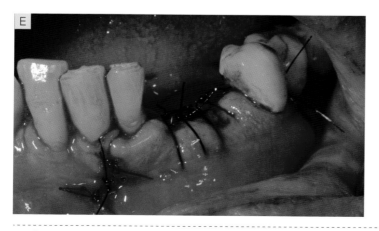

그림 7-3 E. Releasing incision도 미리 해 놓은 상태이므로 수술은 빨리 진행됩니다.

② Suture

1) One technique is enough.

봉합 술식에 대한 여러 방법들을 나열할 수 있습니다. 어떻게 해야 풀리지 않나? 어떻게 해야 장력을 견디고 끝까지 있을까? 하는 것에 대해 불필요한 걱정을 하다 보면 실제 쓰이지도 않는 많은 방법이 오히려 짐이 될 수도 있습니다.

Simple interrupted suture 하나만 능숙하게 해도 거의 모든 부분을 cover할 수 있다고 생각됩니다.

복잡한 슈쳐 테크닉을 익히려고 하기 보다는 연조직이 어떻게 치유되는가에 대한 이해와 경험이 더 중요합니다.

슈쳐의 테크닉보다는 연조직이 절개 부위를 장력 없이 passive하게 덮일 수 있도록 released 되는 것이 조직의 치유에 가장 중요하고 또한 그 이전에 적절한 flap design이 중요합니다.

Flap design과 Releasing에 대해서는 앞서 말씀 드린 바와 같고, 이 장에서는 슈쳐의 선택과 슈쳐 시 유의 사항, 매듭 방법에 대해 알아 보기로 하겠습니다.

2) 슈쳐의 선택

가격과 효용을 생각할 때 나일론 슈쳐 하나만 생각하시면 됩니다.

다만 시중에 나와 있는 것 중 싼 나일론 슈쳐와 약간 비싸면서 편리한 나일론 슈쳐가 있습니다. 대부분의 경우 값이 저렴한 나일론 슈쳐만으로 충분합니다.

굵기는 4-0의 것이 가장 편리합니다.

필요에 따라 섬세한 슈쳐가 필요한 경우 5-0 바이크릴 슈쳐를 준비합니다.

결론적으로 3가지를 구비하는 것이 좋다고 생각합니다.

① 경제적인 4-0 나일론 슈쳐
② 약간 비싸지만 편이성이 좋은 4-0 나일론 슈쳐(Supramid)
③ 5-0 바이크릴 슈쳐

3) 슈쳐의 매듭

슈쳐의 매듭도 복잡하게 설명하는 사람들도 있는데 간단히 두세 번 정도 겹쳐서 매듭을 지어 주면 됩니다.

다만 봉합사에 첫번째 매듭을 하고 난 다음 passive하게 놓아 두면 절개 부위가 스르르 열려서 두번째 매듭을 그냥 하려고 하면 헐렁헐렁하게 매듭이 지어질 경우가 있습니다.

이런 경우 만일 봉합사의 마찰이 아주 적은 것이라면 두번째 매듭 때 더 힘을 주어 첫번째 벌어진 매듭을 조이면서 절개 부위를 닫아 줍니다. 마찰력이 크거나 blood가 묻어서 말라 마찰력이 커질 경우라면 두번째 매듭으로 첫번째 매듭을 미끄려뜨려 조일 수 없겠지만 마찰력이 아주 적은 봉합사의 경우 두번째 매듭으로 조일 때 잘 미끄러져 갑니다.

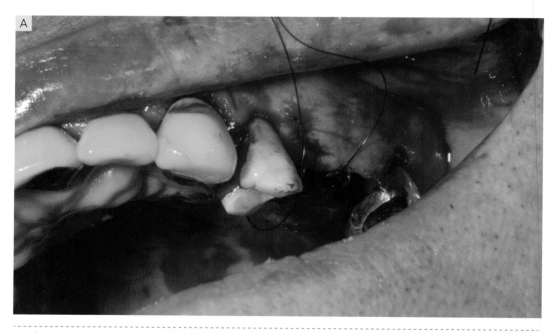

그림 7-4   A. 가격이 비교적 저렴한 blue nylon이란 상품명의 제품입니다. 첫번째 매듭을 짓고 힘을 풀면 다시 풀립니다. 그러나 마찰력이 적기 때문에 다음 매듭에서 다시 조일 수 있습니다.

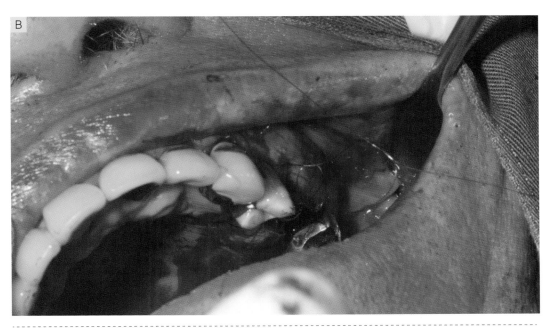

그림 7-4　B. 첫번째 매듭이 tight 하게 조여져 있지 않지만 두번째 매듭을 다시 시작합니다.

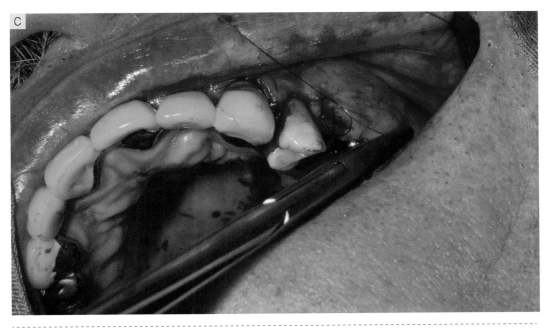

그림 7-4　C. 두번째 매듭을 서서히 조여 갑니다.

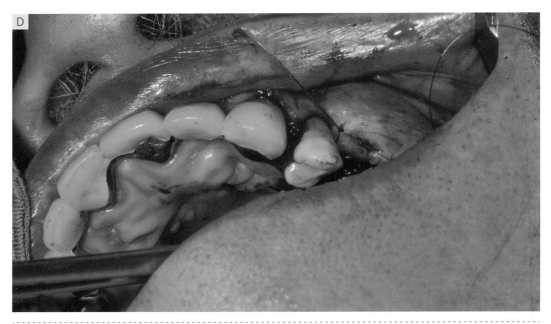

그림 7-4 D. 두번째 매듭을 계속 조여 가면 슈쳐가 미끌어 들어갑니다. 이후에는 마음 놓고 그 위에 한
두 번 더 쉽게 매듭을 지어도 좋습니다.
이것이 불편한 경우 마찰력이 좋은 나일론 슈쳐를 준비합니다.
마찰력이 좋은 빳빳한 나일론 슈쳐의 경우 첫번째 매듭을 짓고 한쪽 끝을 팽팽히 세워 슈쳐
가 미끄러지지 않도록 정지시킵니다. 이 상태에서 마찰로 버티고 있는 상태에서 두번째 매
듭을 해 줍니다.

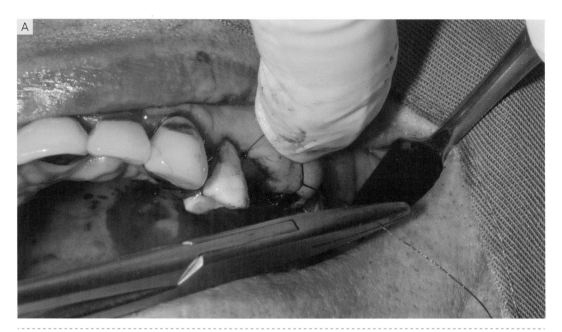

그림 7-5 A. 이전 슈쳐한 자리 원심쪽에 nylon이지만 마찰력이 다소 큰 Suprmid란 상품명의 제품으로 슈쳐를 시행합니다. 첫번째 매듭에서 약간 조여 주는 느낌까지 매듭을 한 후 needle holder로 살짝 잡아 당기듯이 봉합면에 수직으로 들어 줍니다. 여기서 다음 매듭을 위해 needle holder를 놓아도 슈쳐의 마찰력이 약간 있어 미끄러지지 않고 풀리지 않게 됩니다.

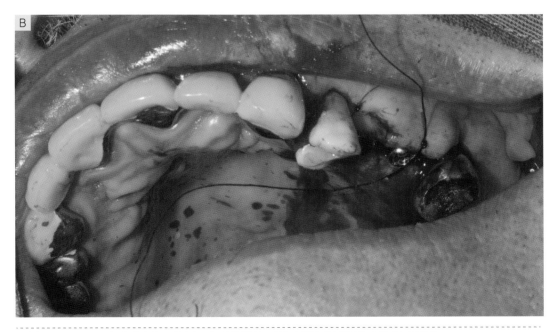

그림 7-5 B. 두번째 매듭을 지어 주면 마찰력이 더욱 강화되어 잘 풀리지 않습니다.

어떤 경우든 과도한 장력을 가하면 절개 부위 근처 조직의 혈관이 눌려 괴사가 일어나고 절개 부위의 치유능력이 저하되므로 적절한 장력을 주어 매듭을 지어야 합니다. 적절한 장력을 주는 것도 적절한 치유가 일어나기 위한 하나의 point입니다.

과거에는 releasing incision을 주고 조직을 많이 끌어 당겨야 할 경우 horizontal matress suture 를 쓰기도 하였으나 지금은 거의 쓸 필요를 느끼지 않고 있습니다. Suture는 편하고 꼼꼼하게 하면 되는 것이지 suture의 복잡한 테크닉이 골재생의 질에 영향을 미치지 않습니다. 현란한 suture technique으로 부족한 조직량을 늘려 봉합을 완료할 수는 없는 것입니다.

CHAPTER 08

골 결손 분류와 증례 및 팁

SIMPLE TIPS AND CASE

단정배의
ECES
Concept & Technique

*E*vidence Based

*C*linically Oriented

*E*xperience Approved

*S*implified

① 골 결손의 분류

골재생에 대한 이해를 쉽게 하기 위해서는 골 결손의 분류를 정확히 아는 것이 필요합니다. 임상에서 대부분의 골재생이 필요한 경우는 협측이든 설측이든 어느 한쪽은 뼈가 남아 있는 경우가 많으며 이런 경우 크게 contained defect와 noncontained defect로 나눌 수 있습니다.

2006년[1] 저자는 bone defect의 종류를 크게 contained defect와 noncontained defect로 나누고, 이를 다시 각각 Contained Total(CT), Contained A, Contained B, Contained AB로, Noncontained defect를 Noncontained A, Noncontained B, Noncontained AB로 나누었습니다. 이 분류법은 다양한 bone defect를 healing potential에 따라 분류하고 각각에 대한 적절한 골이식술을 확립하기에 유용합니다.

이 외에 협설 방향으로 남아 있는 뼈가 없고, 순수한 vertical augmentation이 필요한 경우도 있지만, 실제 임상에서 순수하게 vertical하게만 올려야 하는 경우는 매우 드물며, 구치부에서는 상악동 이식술로 대체가 됩니다.

표 8-1 골 결손의 분류

Horizontal Defect Classification *by Dan, 2006*	
I. Contained	약자
1. Contained Total	CT
2. Contained A	CA
3. Contained B	CB
4. Contained AB	CAB
II. Noncontained	
5. Noncontained Total	NT
6. Noncontained A	NA
7. Noncontained B	NB

[1] 2006년 단정배: 서울시치과의사회 학술대회 강연

❖ I-1. CT (Contained Total): 5 walls 결손

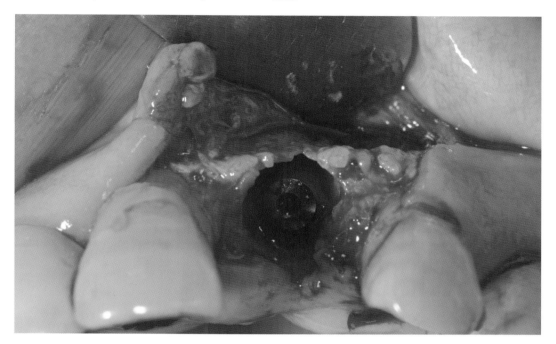

❖ I-2. CA (Contained A): 5 walls 결손에서 dehicence이 있는 형태

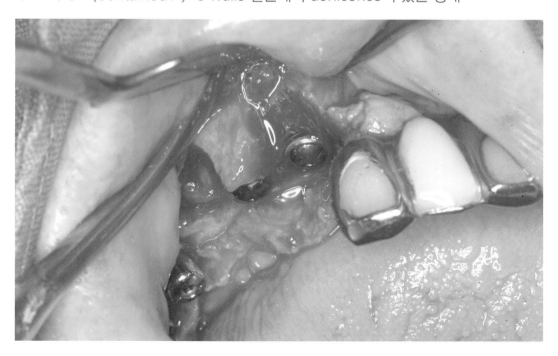

❖ I-3. CB (Contained B): 5 walls 결손에서 fenestration이 있는 형태

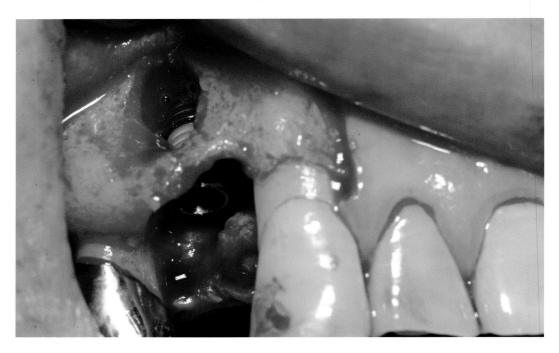

❖ I-4. CAB (Contained AB): 5 walls 결손에서 dehiscence와 fenestration이
연결된 형태, 4 walls 결손이라고 볼 수도 있음.

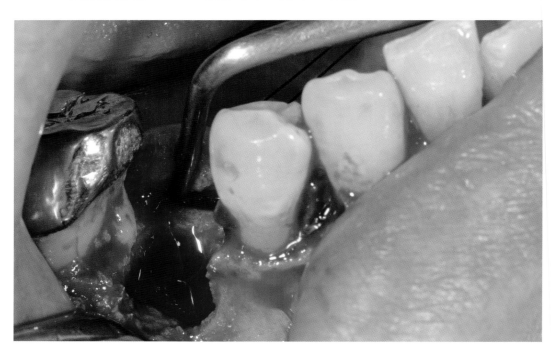

❖ II-5. NT (Noncontained Total): 1 wall defect를 말함

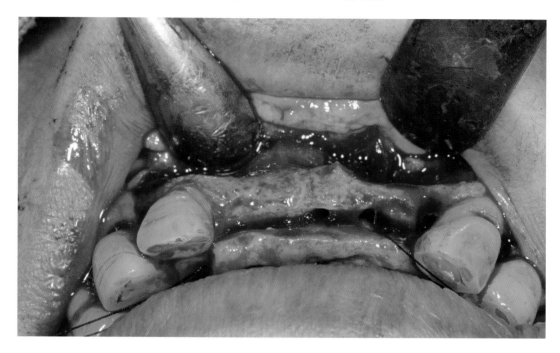

❖ II-6. NA (Noncontained A): 임플란트 식립 하방은 모두 뼈에 묻히나 상방은 1 wall defect가 되는 경우

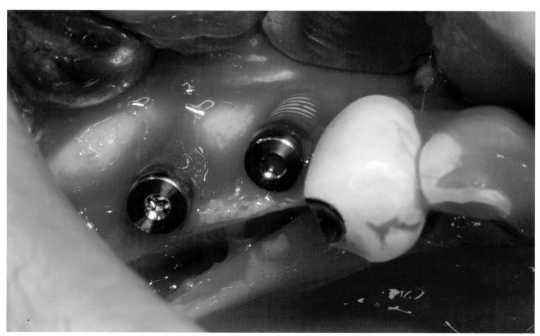

❖ II-7. NB (Noncontained B): 임플란트 식립 상방은 모두 뼈에 묻히나 하방은 1 wall defect가 되는 경우.

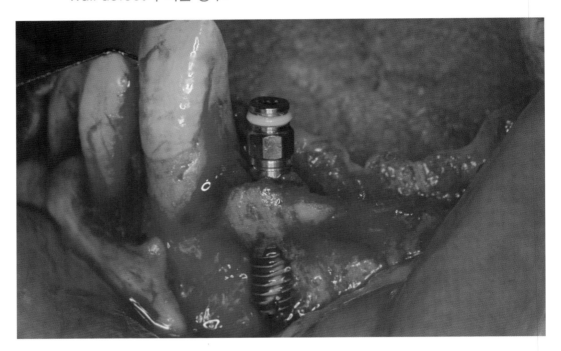

② 각 골 결손에 대한 증례와 Simple Tips

1) Contained Total defect (CT)

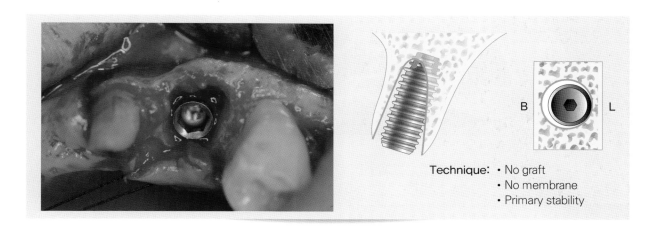

Contained defect란 발치와를 생각할 때 발치 후 모든 골벽이 건전하고 비교적 두꺼운 defect를 말합니다. 5 walls defect라고 할 수 있습니다.

CT defect에서는 buccal plate의 두께가 두껍다면 일반적으로 이식재와 차폐막 없이 즉시 임플 란트 식립이 가능합니다.

표 8-2　Buccal plate 두께 2 mm 이상인 경우 골이식을 위한 flow chart.

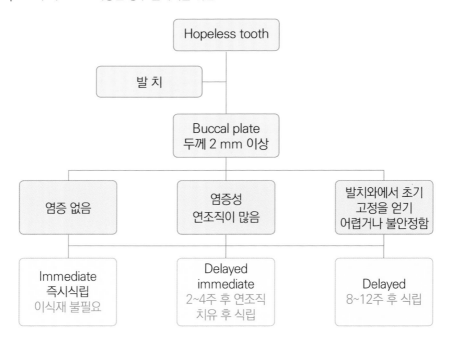

표 8-3　Buccal plate가 2 mm 이하이거나 defect가 있는 경우 골이식을 위한 flow chart.

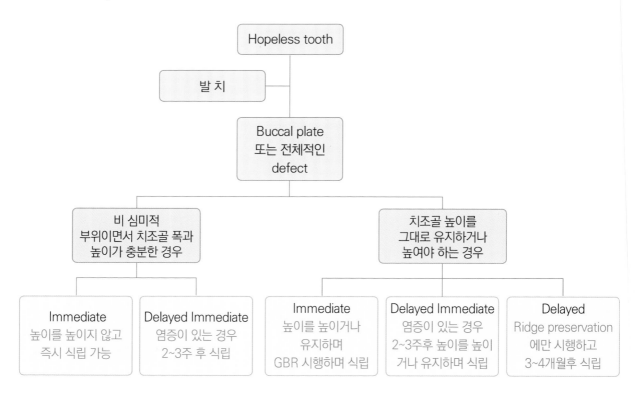

CASE 1 — CT defect CASE 1 (Immediate)

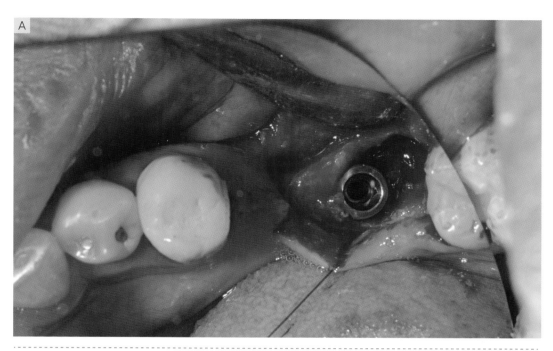

그림 8-1 A. 발치와 협설의 bone plate가 건전합니다. 골벽은 두꺼우나 원심에 큰 defect가 보입니다.

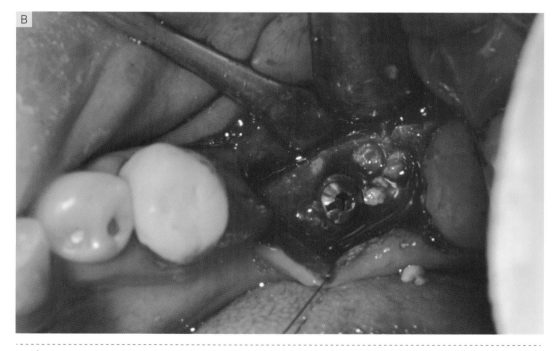

그림 8-1 B. 이식재가 필요치 않을 수 있으나 원심 부위의 안정성을 위해 합성골 이식재를 사용하였습니다. 이 경우 입자가 큰 이식재로 compact 하지 않게 얼기설기 채워 넣습니다.

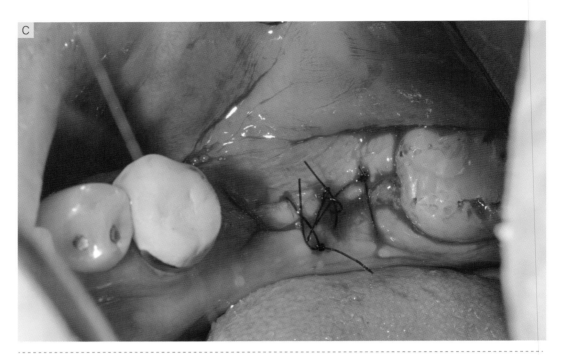

그림 8-1 C. 보다 안정적인 골 형성을 위해 submerged type으로 식립하였으며 flap을 완전히 덮어 primary closure로 suture하였습니다.

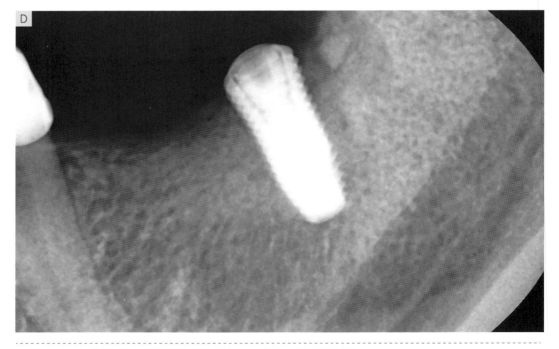

그림 8-1 D. 식립 직후 임플란트 주위에 bone defect가 보입니다.

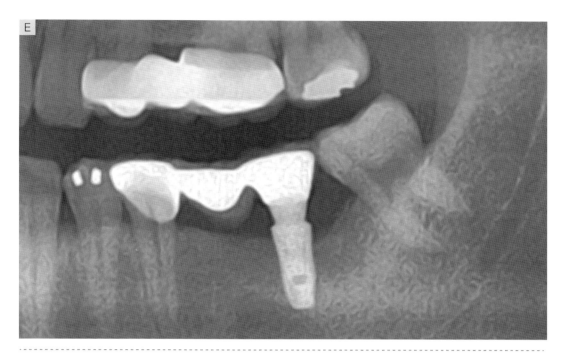

그림 8-1 E. 골 형성이 잘 된 것을 볼 수 있습니다.

Simple Tips

그림 8-1. 원심 부위의 defect가 커 보여서 안정성을 주기 위해 합성골을 이식하였습니다. 임플란트 표면의 능력에 따라 골이식을 하지 않을 수도 있으나 장기적으로 연조직이 침입하지 않고 골생성을 확실히 하기 위해서는 합성골 이식이 안정적이라고 생각됩니다. 골생성의 속도는 동종골에 비해 떨어지나 골융합이 대부분에서 잘 일어날 것이 기대되는 경우에는 경제적인 합성골로서 충분합니다. 이 합성골이 3~4개월 내로 모두 뼈로 바뀌는 것은 아니지만 3~4개월 후에는 임플란트 주위의 대부분에서 골생성과 골융합이 일어나므로 합성골은 천천히 골로 바뀌어도 아무 상관이 없습니다.

One stage로 수술하는 것이 번거로움은 없으나 bone defect의 빠르고 안전한 bone fill을 위해서는 판막을 덮는 것이 아무래도 유리합니다.

합성골 이식재는 defect 전체를 메꾸기 보다 defect의 입구만 메꾸어 줍니다. 이러기 위해서는 이식재의 직경이 1~2 mm인 굵은 것을 사용하는 것이 좋습니다. 이식재 밑의 defect는 blood가 차면서 합성골 이식재가 있는 것보다 더 빠른 골생성을 보일 것입니다.

수술 5개월 후 원심쪽에 약간의 부족함이 있지만 대부분 부위에서 bone fill을 보여 줍니다.

CASE 2 CT defect CASE 2 (Delayed)

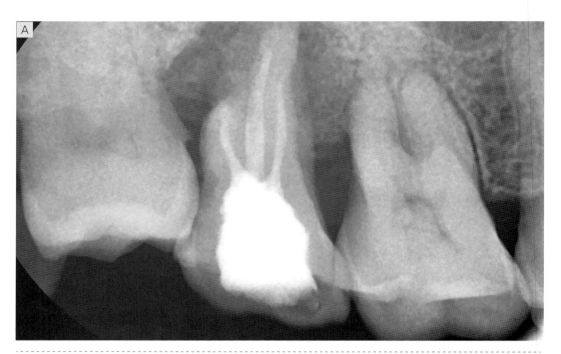

그림 8-2 A. 치근 주변의 광범위한 골 파괴를 보입니다.

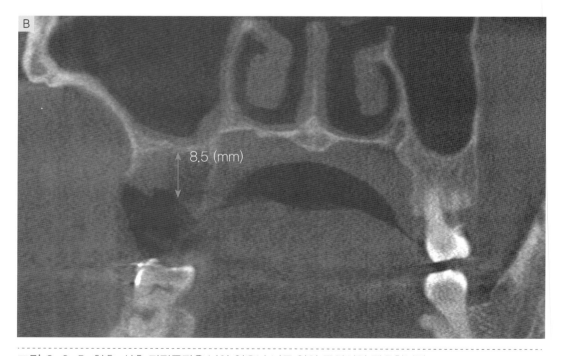

그림 8-2 B. 협측, 설측 피질골판은 남아 있으나 너무 얇아 골이식이 필요합니다.

그림 8-2 C. 판막 형성.

그림 8-2 D. 동종골과 합성골은 PRGF로 혼합합니다.

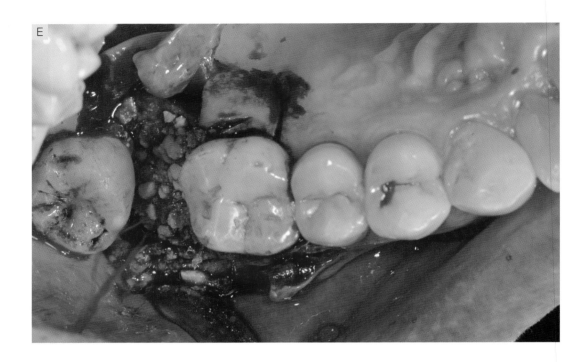

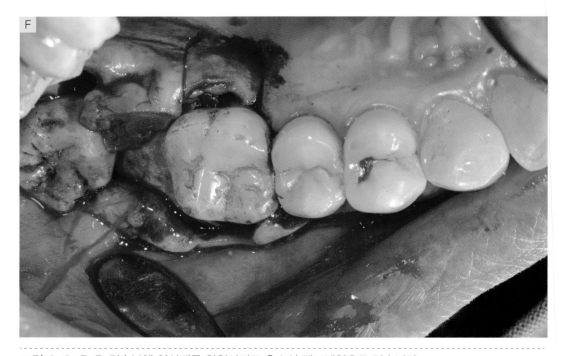

그림 8-2 E, F. 결손부에 이식재를 위치시키고 흡수성 멤브레인으로 덮습니다.

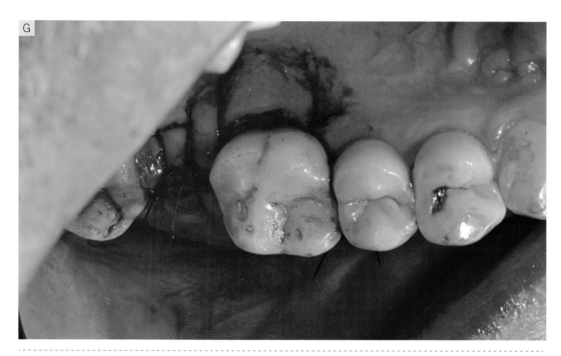

그림 8-2 G. 봉합.

nple Tips

림 8-2. CT defect로서
설골판이 얇아 바로 임
란트를 식립하기는 힘들
불안하였으므로 ridge
eservation을 진행하고
후 implant를 staged
pproach를 계획하였습
다. 수술 후 구강 내 소
이나 방사선 소견은 좋
니다. 그러나 구강위생
불량으로 감염이 되어
두 제거하였습니다. 골
식 후의 감염은 불량한
강위생이 주된 원인이
, 수술 부위를 잘 닦도록
육해야 합니다.

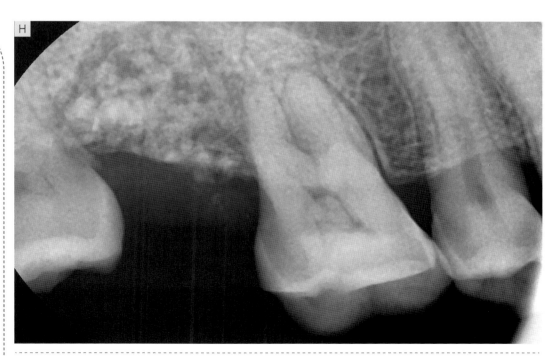

그림 8-2 H. 술후 방사선 사진.

그림 8-3 A. 실패 후여서 PRGF에 동종골만을 사용하였습니다.

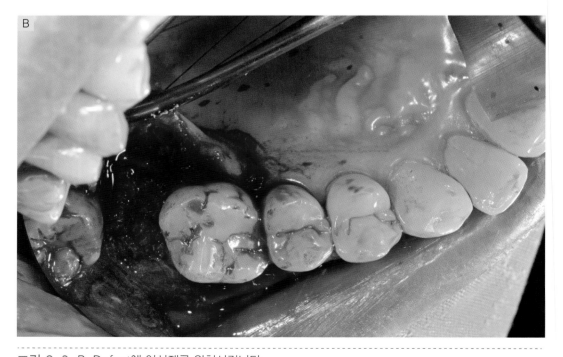

그림 8-3 B. Defect에 이식재를 위치시킵니다.

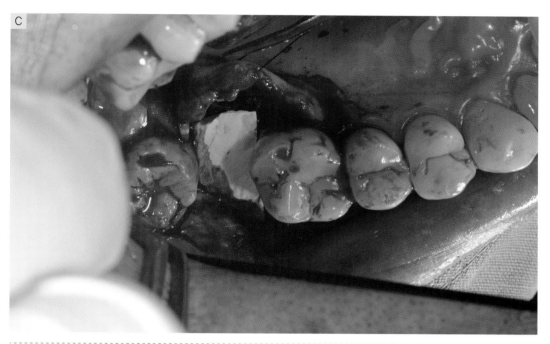

그림 8-3 C. 흡수성 멤브레인을 위치시킵니다.

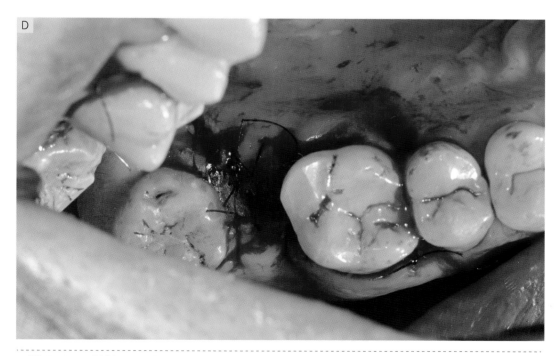

그림 8-3 D. 봉합.

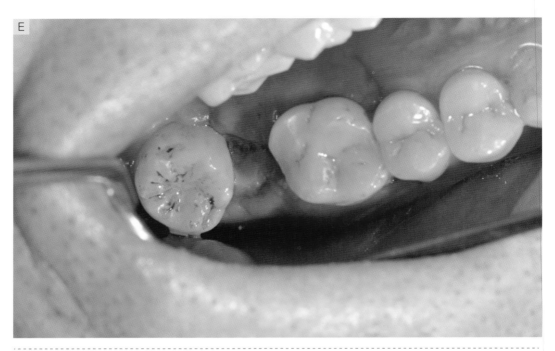

그림 8-3 E. 수술 5일 후의 연조직.

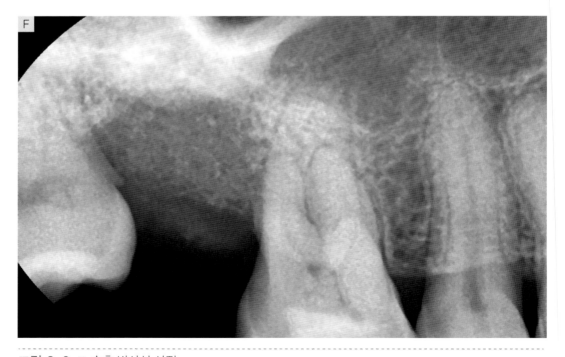

그림 8-3 F. 술후 방사선 사진.

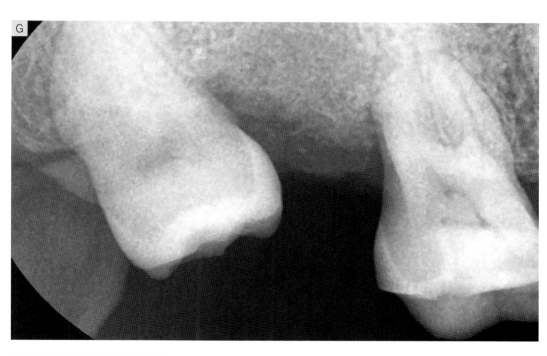

림 8-3. 같은 케이스
서 같은 방법으로 다시
dge preservation을 다
시행하였고, 이후 임플
트까지 식립하였습니다.
dge preservation 시
수성 막의 노출은 구강
생만 좋다면 문제가 되
않는다는 것을 알 수 있
니다. 구강위생의 중요
을 이 케이스를 통해 배
수 있습니다.

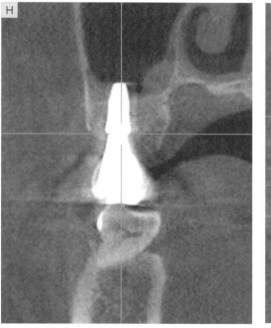

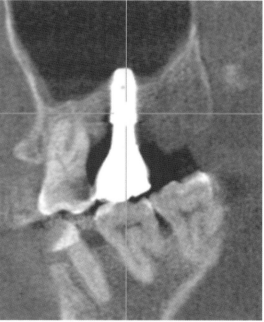

그림 8-3 G, H. Defect에는 뼈가 잘 차 올랐으며, 성공적으로 임플란트를 식립하였습니다.

CASE 3 CT defect CASE 3 (Delayed)

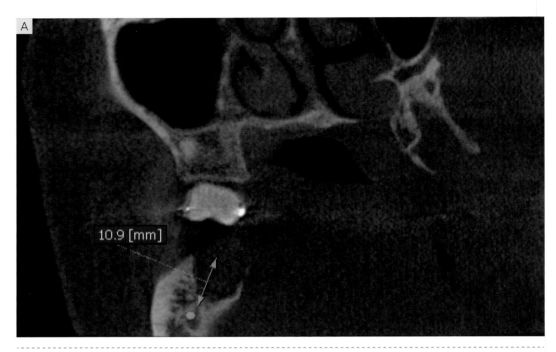

그림 8-4 A. 설측 골판이 얇고 부분적으로 파괴된 소견을 보입니다. Ridge preservation을 하지 않는다면 설측 골판이 녹으면서 하악관 위로의 충분한 골생성이 어려워 보입니다.

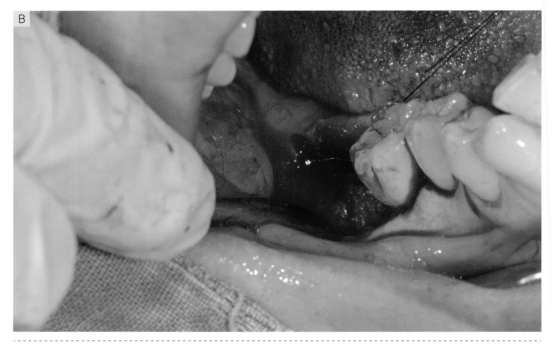

그림 8-4 B. Defect가 크고 설측 골판이 얇아 조건이 좋지 않으므로 빠른 골 생성을 위해 동종골을 사용하였습니다.

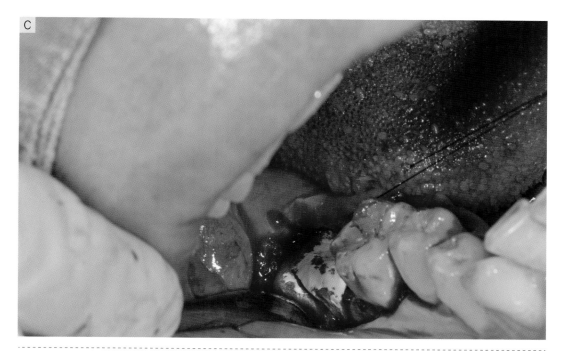

그림 8-4 C. 안정성을 높이기 위해 당시에는 멤브레인을 사용하였으나 경험적으로 볼 때 큰 역할을 하지 않습니다. 현재 이런 경우라면 멤브레인을 쓰지 않는 편입니다.

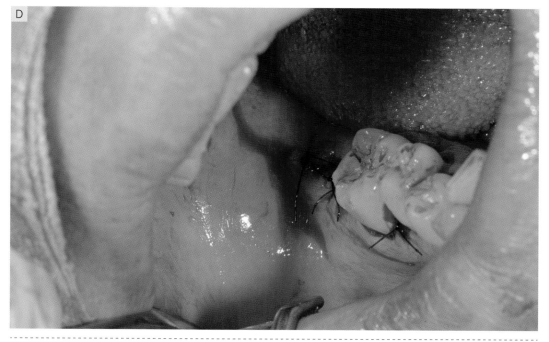

그림 8-4 D. 대부분의 경우 판막을 근원심 방향으로 충분히 연장을 하면 releasing incision 없이 잘 덮입니다.

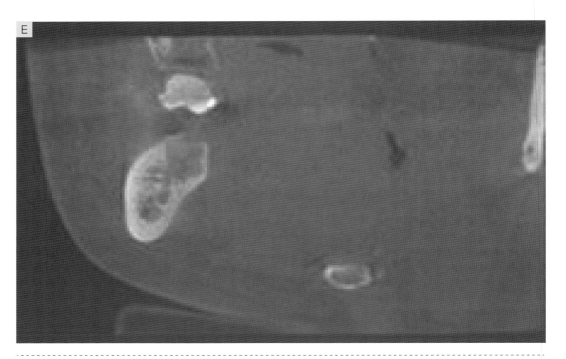

그림 8-4 E. 수직적으로 손실 없이 골이 약간 증강된 소견을 볼 수 있습니다.

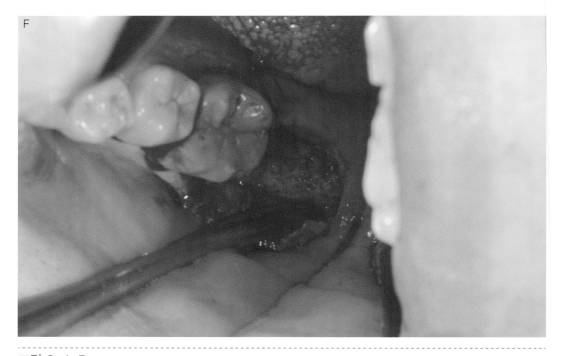

그림 8-4 F

Simple Tips

그림 8-4. 골이식 전 CT 사진을 보면 설측의 골판이 많이 녹아 있습니다. 발치와의 상태로 보아 즉시 식립은 어려워 보이며 그냥 방치할 경우 흡수된 설측 골판 때문에 골이 찬다 하더라도 하악관까지의 거리가 짧아 보입니다.

이런 경우 ridge preservation을 하여 2 stage approach를 하는 것이 안정적입니다. 좀 더 안정적인 골생성을 위해 멤브레인을 사용하였습니다. 대부분의 ridge preservation 케이스에서는 수직으로 증강하는 일은 거의 없기 때문에 별도의 연조직을 다루는 테크닉은 필요치 않으며, 자연스럽게 봉합을 해 주면 됩니다.

2) Contained defect A (CA)

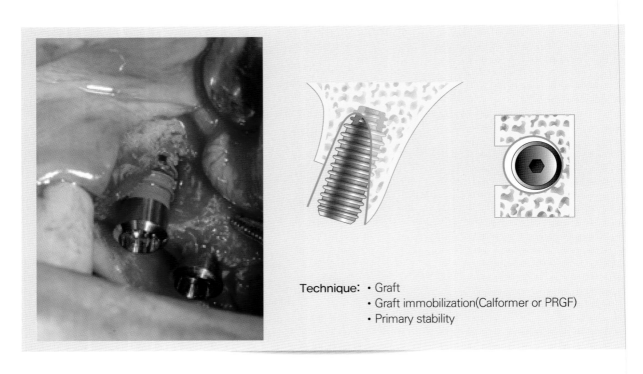

Technique: • Graft
• Graft immobilization(Calformer or PRGF)
• Primary stability

Contained defect는 subclassification이 어떤 것이던 아무리 defect가 커 보여도 골생성이 매우 유리한 defect입니다. CA defect는 임플란트는 contained defect 안에 있으나 협측에 dehicence가 있는 경우입니다. 이런 경우 합성골 또는 동종골만으로도 가능할 수 있습니다. 합성골을 쓸지 동종골을 쓸지 또 여기에 멤브레인까지 쓸지에 대해서 구분이 명확하지는 않으나 어느 것이 좀 더 안정적이냐의 기준으로 생각하면 됩니다. 남은 buccal plate가 얇다든지 연조직의 피개가 불완전할 것이 예상된다든지 하다면 좀 더 안정적인 쪽으로 가주면 좋을 것입니다. 합성골을 쓸 것인가 그 보다 비싼 동종골을 쓸 것인가의 기준은 다음과 같습니다. 빠른 시간에 골생성이 필요한 경우라면 동종골을 사용하고 그렇지 않은 경우라면 합성골을 써도 무방합니다.

CASE 1   **CA defect – 어렵게 한 CASE 1**

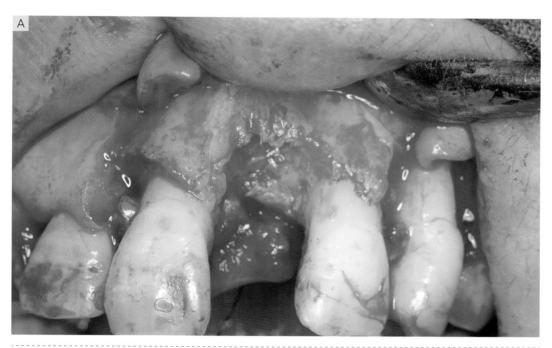

그림 8-5   A. 협측에 큰 골 결손이 보입니다.

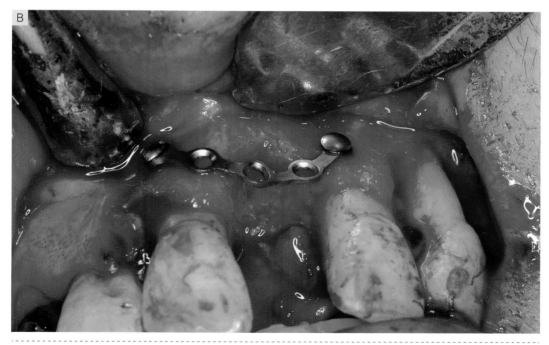

그림 8-5   B. 플레이트와 스크류를 이용하여 고정합니다.

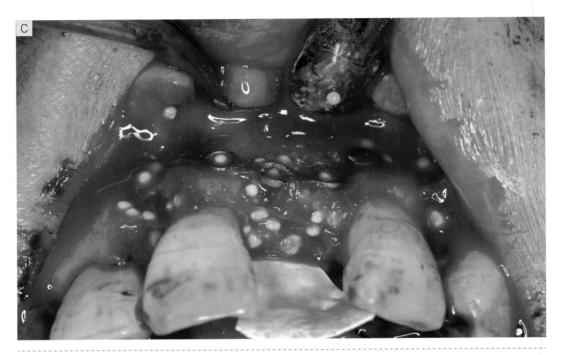

그림 8-5 C. 이식재를 위치시킵니다.

그림 8-5 D. Bone tack으로 비흡수성 멤브레인을 위치시킵니다.

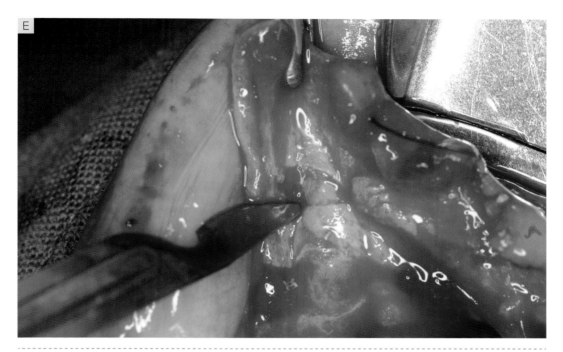

그림 8-5 E. 감장 절개.

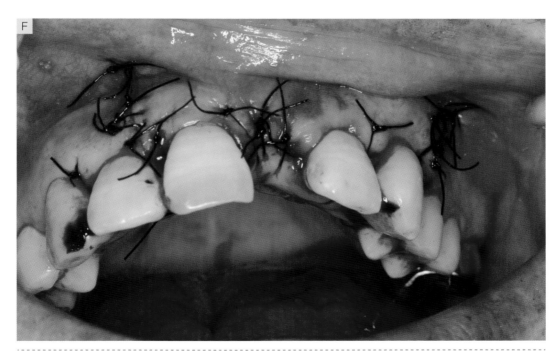

그림 8-5 F. 봉합.

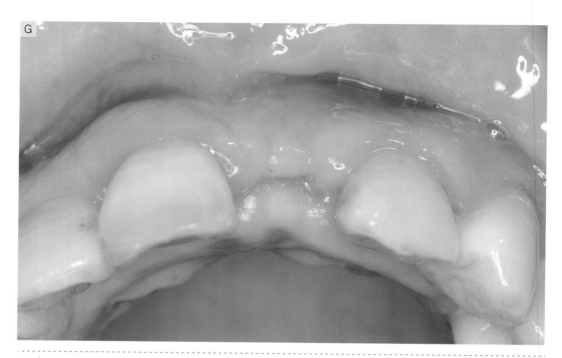

그림 8-5 G. 치유 후 소견.

Simple Tips

그림 8-5. 참 복잡하게 했습니다. 플레이트에 스크류로 고정을 했습니다. 그러나 과연 복잡해야 잘 하는 것일까 하는 생각이 듭니다. 지금은 절대 이렇게 하지 않습니다. 그냥 이식재에 흡수성 멤브레인만으로 충분합니다. 부족하면 임플란트 식립할 때 바깥쪽에 한번 더 하면 됩니다.

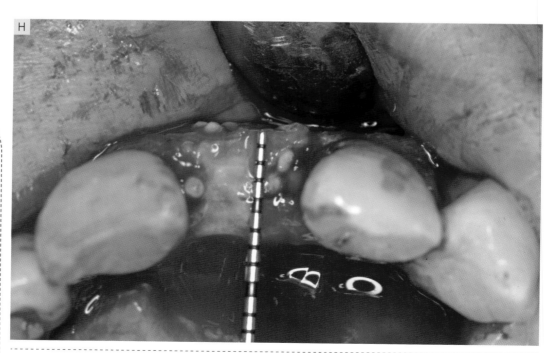

그림 8-5 H. 수평방향으로 골 폭이 증가했습니다.

CASE 2 　　　CA defect – 어렵게 한 CASE 2

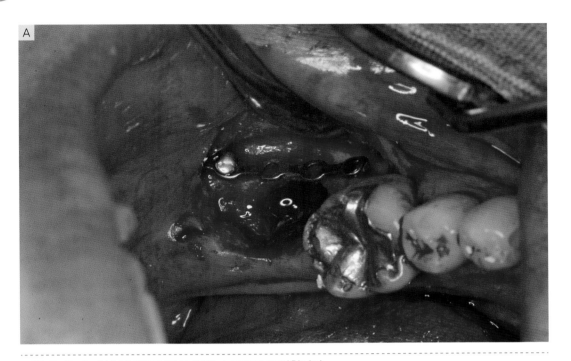

그림 8-6 　A. 협측에 플레이트를 대고 스크류로 고정합니다.

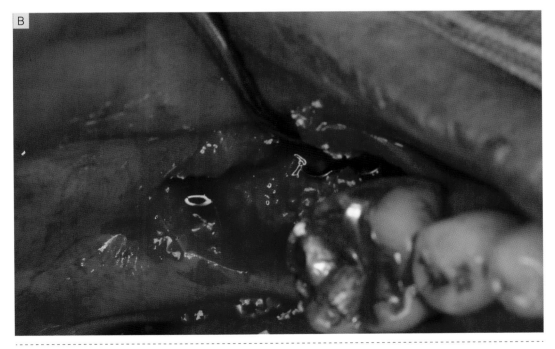

그림 8-6 　B. 이식재를 위치시킵니다.

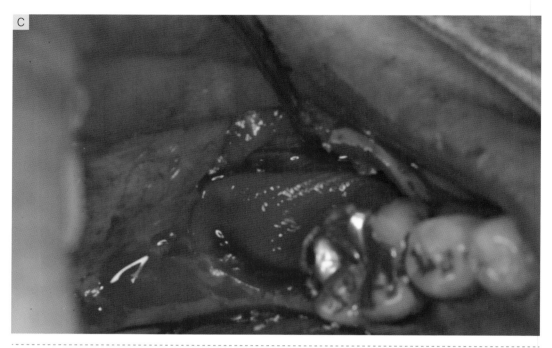

그림 8-6 C. 흡수성 멤브레인을 사용합니다.

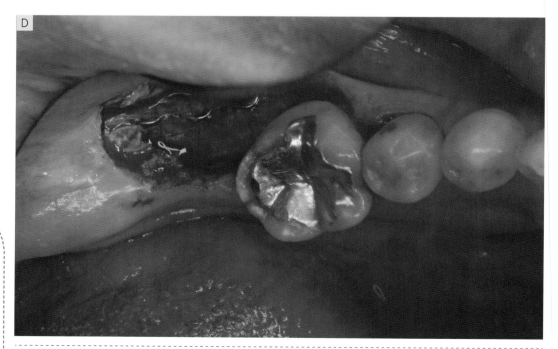

Simple Tips

그림 8-6. 협측의 무너진 부분이 가라 앉지 말라고 plate를 해 주었으나 역시 불필요한 술식입니다. 볼륨이 유지되는 이식재만으로도 충분합니다.

그림 8-6 D. 골재생 소견을 보입니다.

CASE 3   CA defect – 어렵게 한 CASE 3

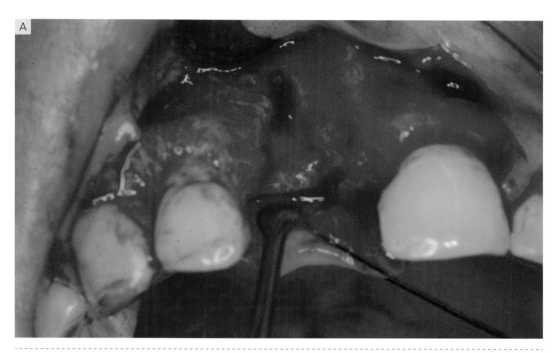

그림 8-7   A. 협측에 골 결손이 큽니다.

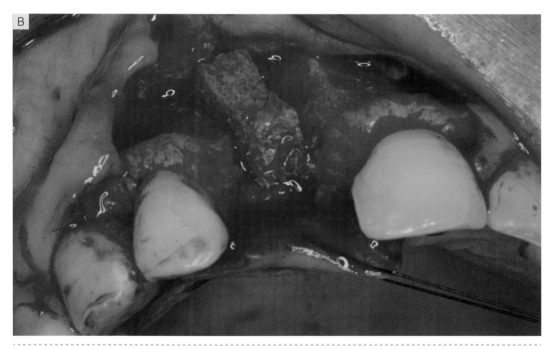

그림 8-7   B. Block bone 형태의 동종골을 위치시킵니다.

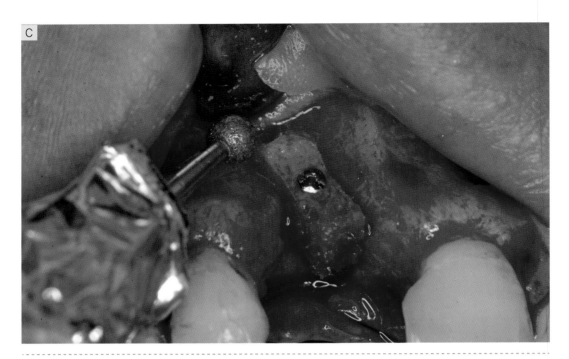

그림 8-7 C. 스크류로 고정하고 다듬습니다.

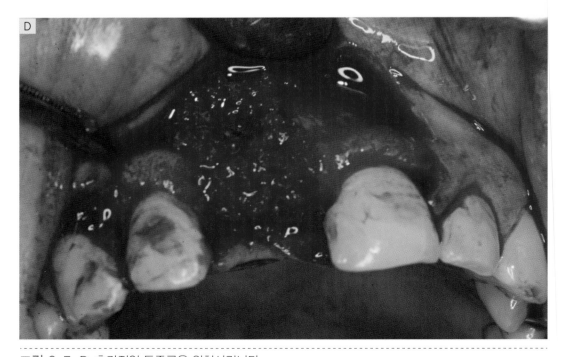

그림 8-7 D. 추가적인 동종골을 위치시킵니다.

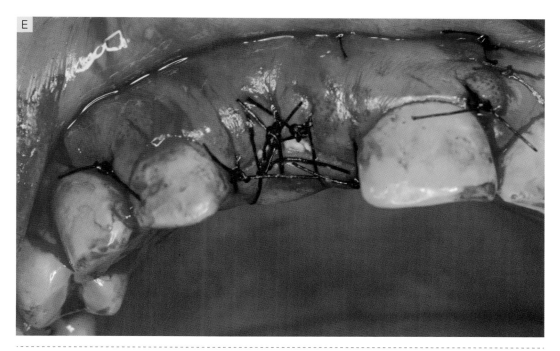

그림 8-7 E. 봉합.

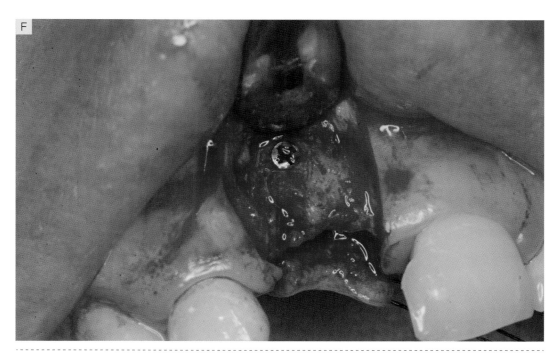

그림 8-7 F. Reentry 시 소견입니다.

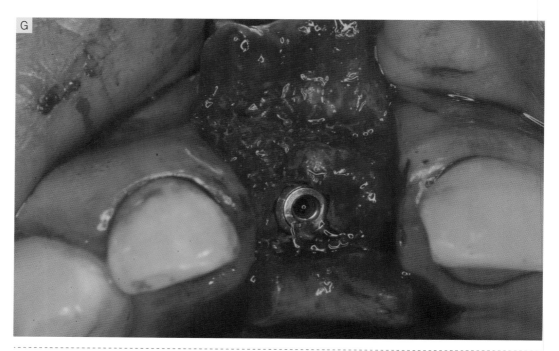

그림 8-7 G. 임플란트 식립.

Simple Tips

그림 8-7. Block bone graft를 하여 staged approach로 임플란트를 식립하였습니다. 꼭 이렇게 해야 할까요? 다음 케이스와 비교하면 답이 나옵니다.

CASE 4   CA defect - 쉽게 한 CASE 1

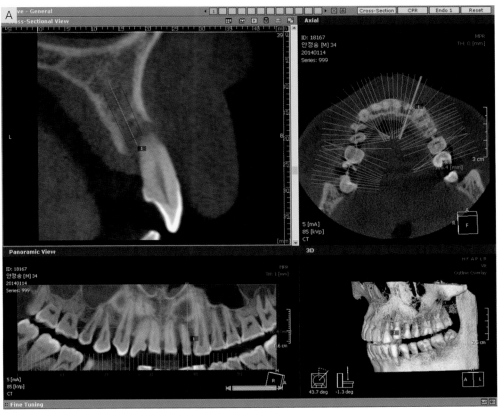

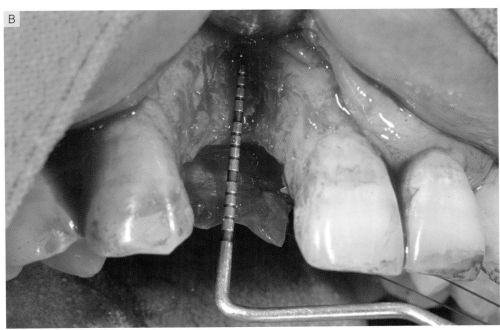

그림 8-8   A. B. 협측에 큰 골 결손이 관찰됩니다.

그림 8-8 C. 임플란트 식립

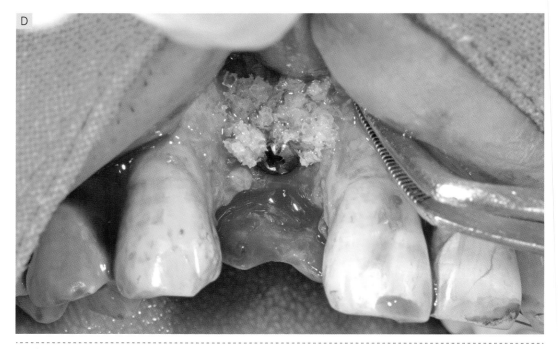

그림 8-8 D. 동종골을 위치시킵니다.

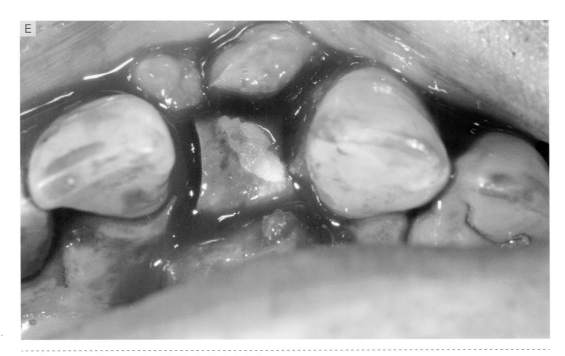

그림 8-8 E. 흡수성 멤브레인을 위치시킵니다.

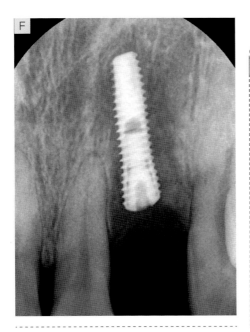

그림 8-8 F. 술후 방사선 사진.

Simple Tips

그림 8-8. 처음 골 결손을 보면 협측의 dehiscence 깊이가 7 mm 가까이 되어 보이고 겁이 납니다. 그러나 막상 임플란트를 심고 나면 한결 해결하기가 수월해 보이기도 합니다. 이런 경우 너무 두꺼운 임플란트를 심어서 임플란트가 contained defect 밖으로 나오기 보다는 약간 가는 임플란트를 심는게 유리합니다.

드릴링할 때는 그냥 하면 저항이 없는 협측으로 밀리기 쉬우므로 린데만 드릴로 설측을 약간 밀어가는 기분으로 드릴링을 하는 것이 좋습니다. 아니면 아예 린데만 드릴로 설측으로 다 드릴링을 하고, 임플란트 드릴로는 마지막 직경만 다시 확인하는 정도로 하는 것도 좋습니다.

CASE 5

CA defect – 쉽게 한 CASE 2

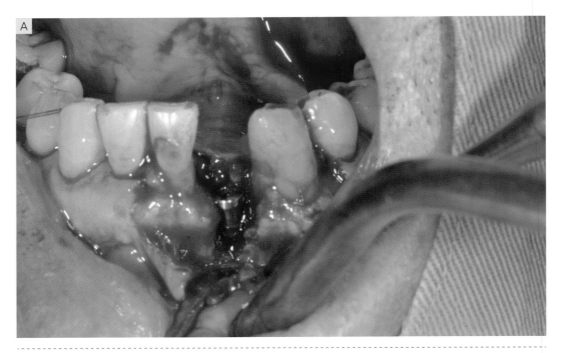

그림 8-9 A. 임플란트 식립.

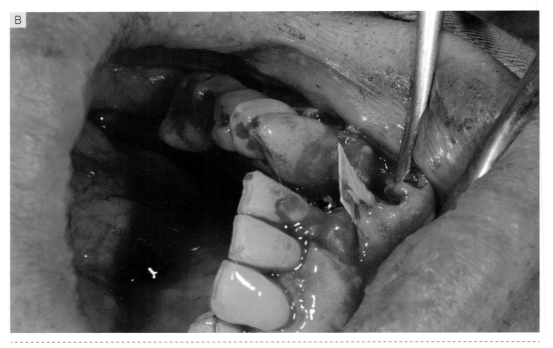

그림 8-9 B. 멤브레인을 먼저 위치시킵니다.

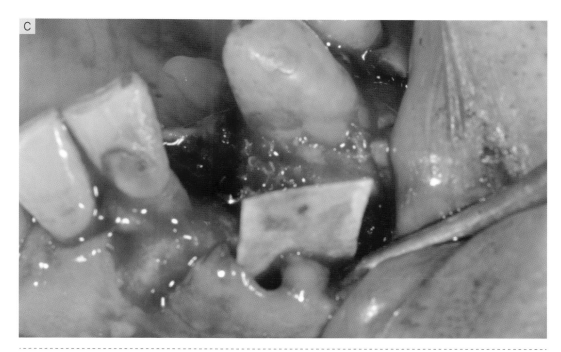

그림 8-9 C. 동종골을 위치시킵니다.

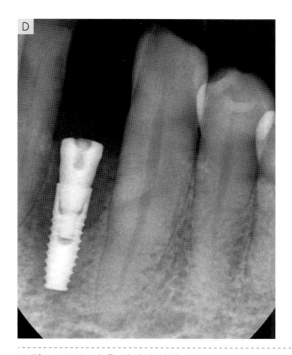

그림 8-9 D. 술후 방사선 사진.

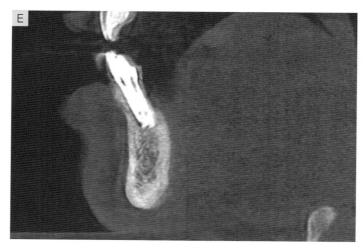 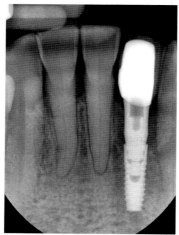

그림 8-9 E. 보철 후 방사선 사진. 협측에 골 생성이 잘 일어 났음을 보여줍니다.

Simple Tips

그림 8-9. 위 증례는 CA defect로서 골이식재 만으로도 가능하다 여겨지지만 안정성을 위해 차폐막을 사용하였습니다. 술후 CT 영상에서 buccal 쪽의 bone density가 안정적으로 확인됩니다.

CASE 6 | CA defect – 쉽게 한 CASE 3

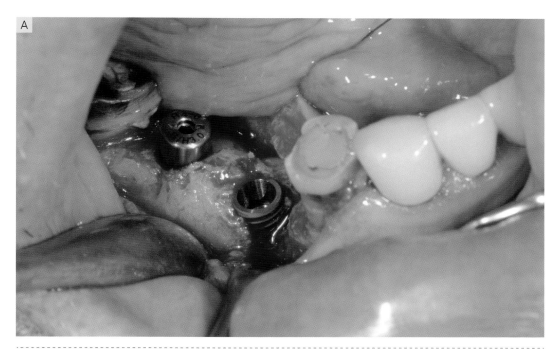

그림 8-10 A. 협측에 큰 골 결손이 관찰됩니다.

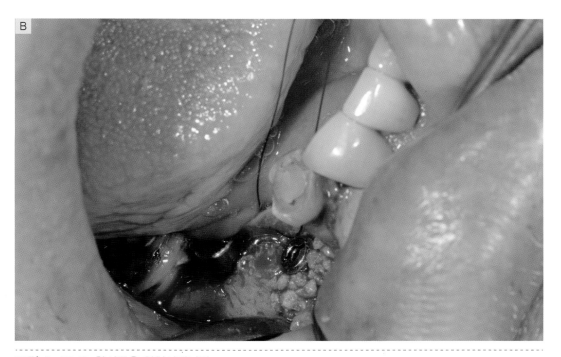

그림 8-10 B. 합성골을 위치시킵니다.

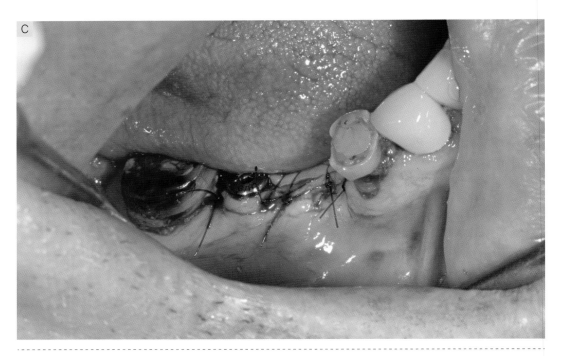

그림 8-10 C. 봉합.

그림 8-10. 주변에 남은 buccal plate가 두껍고 건전해 보이므로 합성골로만 처리하였습니다. 게다가 연조직도 온전한 피개가 되므로 더욱 안정성을 갖습니다.

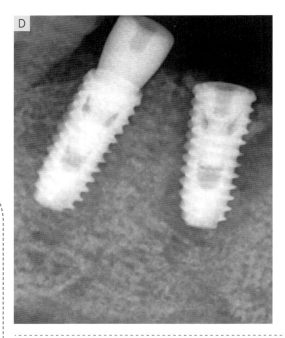
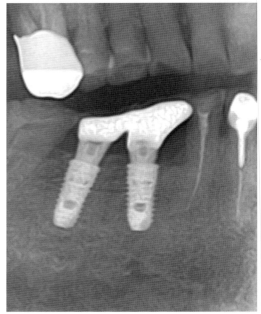

그림 8-10 D. 골 결손부의 임플란트 주위로 건전한 골 형성이 관찰됩니다.

CASE 7   CA defect - 쉽게 한 CASE 4

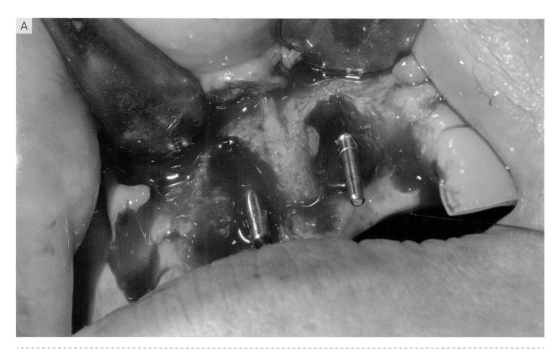

그림 8-11 A. Buccal plate의 높이가 주변 치조골보다 많이 낮습니다.

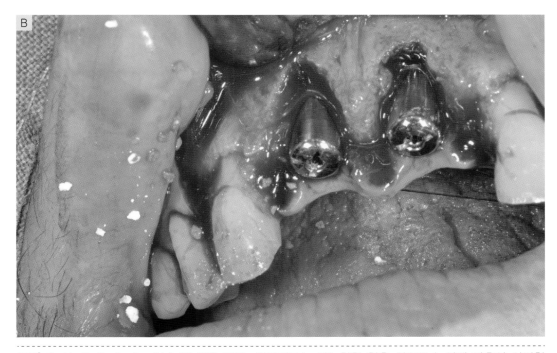

그림 8-11 B. Smile line이 높지 않을 경우, 임플란트는 가능한한 협측 치조골 높이에 맞추어 식립합니다.

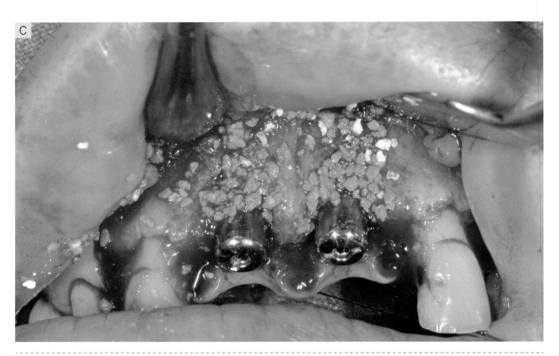

그림 8-11 C. 합성골을 위치시킵니다.

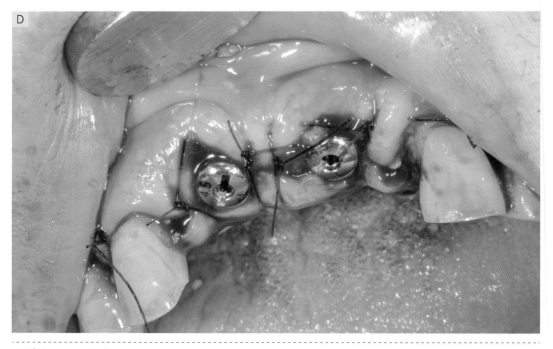

그림 8-11 D. 봉합.

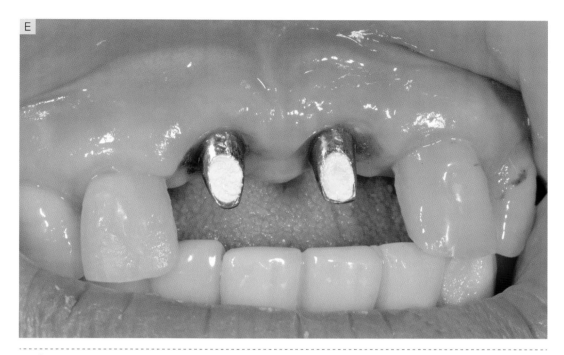

그림 8-11 E. Abutment 연결 후 모습입니다.

Simple Tips

그림 8-11. 이 케이스 역시 임플란트를 심기 전에는 결손부위가 부담스러워 보이지만 임플란트를 식립
하고 나면 좀더 마음이 편해집니다.

여기서 임플란트 식립 깊이를 어떻게 할 것인가 하는 의문이 생깁니다. 협측의 crestal bone이 인접치
아보다 많이 낮게 위치해 있습니다. 심미성을 위해 임플란트의 식립 위치를 높게 하려면 더 많은 골 이
식을 해야 하고, 또 연조직에 releasing을 통해 연조직 피개를 완전히 해 주어야 하기도 합니다. 이러
려면 수술이 복잡해집니다.

환자의 smile line이 높지 않다면 임플란트를 그대로 기존의 치조골 높이에 맞추면서 식립합니다.

임플란트를 가능한 한 깊이 심어 defect가 크지 않으므로 합성골 이식재로만 처리하였습니다. 협측 골
판이 얇아 보이므로 합성골을 부가적으로 협측에 더 첨가합니다.

연조직으로 온전히 피개가 되지는 않았으나 부족한 양이 많지 않으므로 blood clot만 잘 차 준다면 문
제는 없습니다.

CASE 8   CA defect – 쉽게 한 CASE 5

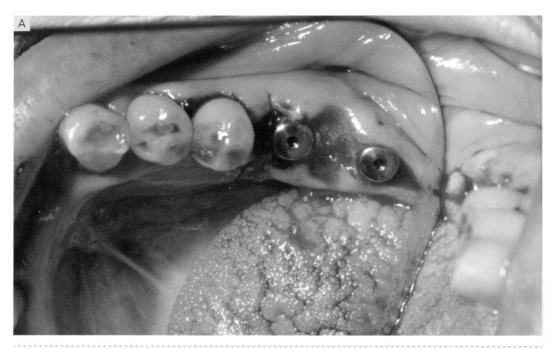

그림 8-12 A. Defect 부위에 임플란트를 식립합니다.

그림 8-12 B. PRGF에 합성골을 넣습니다.

그림 8-12 C. 여분의 PRGF는 따로 남겨둡니다.

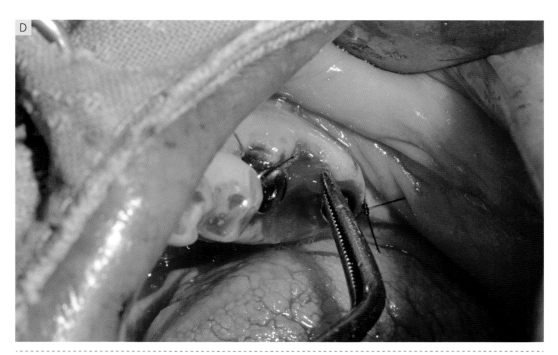

그림 8-12 D. 여분의 PRGF를 연조직이 덮이지 않는 부분에 덮어줍니다.

Simple Tips

그림 8-12.
PRGF (Plasma Rich in Growth Factor)를 함께 사용하면 합성골 이식재만 쓰더라도 감염에 덜 취약하며 연조직이 부족한 경우에도 다소 안정적입니다. 경우에 따라 멤브레인을 쓰지 않고도 멤브레인을 사용한 효과를 낼 수도 있습니다.
PRGF는 이식재의 조작성을 좋게 하며 이식재를 피브린 덩어리로 뭉쳐 보호하므로 수술 부위가 노출되었을 때에 감염의 위험성을 낮추어 줍니다. 또 함께 뭉쳐친 덩어리는 골벽에 잘 붙어 있으므로 이식재의 흩어짐을 면하게 하고 따라서 이식재를 제 위치에 안정적으로 위치시키기 위한 멤브레인이나 bone tack의 사용이 필요 없습니다.

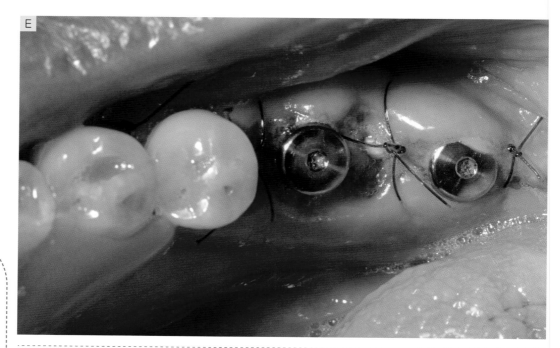

그림 8-12 E. 다음 날 치유 소견입니다.

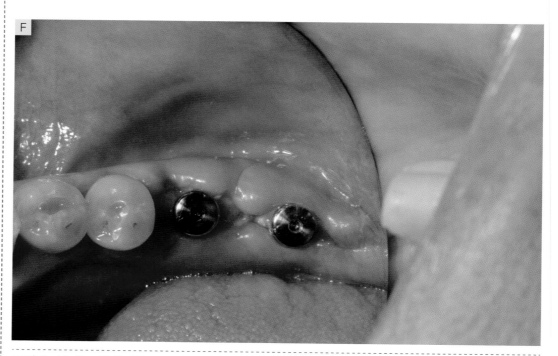

그림 8-12 F. 1주 후 치유 소견입니다.

CASE 9   CA defect – 쉽게 한 CASE 6

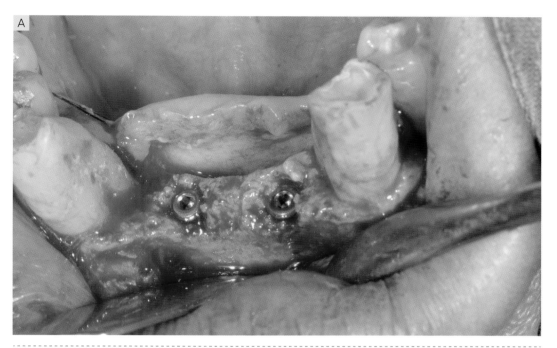

그림 8-13 A. 식립 후 약간의 골 결손과 얇은 buccal plate 상태를 보여줍니다.

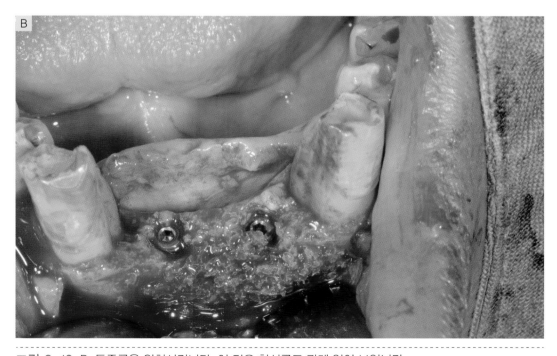

그림 8-13 B. 동종골을 위치시킵니다. 이 경우 합성골도 관계 없어 보입니다.

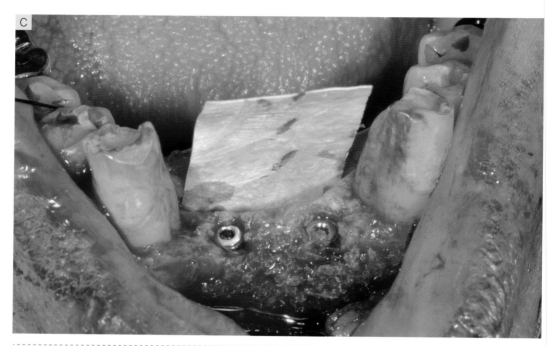

그림 8-13 C. 설측부터 멤브레인을 끼워 넣습니다. (젖지 않은 상태에서)

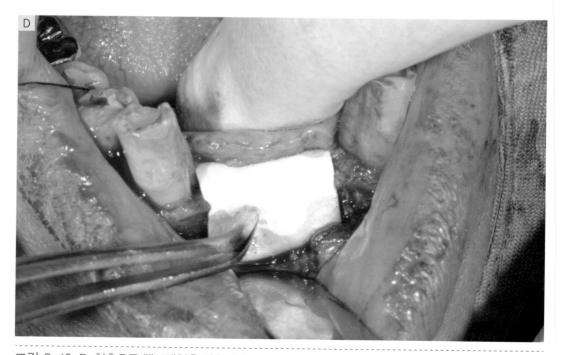

그림 8-13 D. 협측으로 멤브레인을 덮습니다.

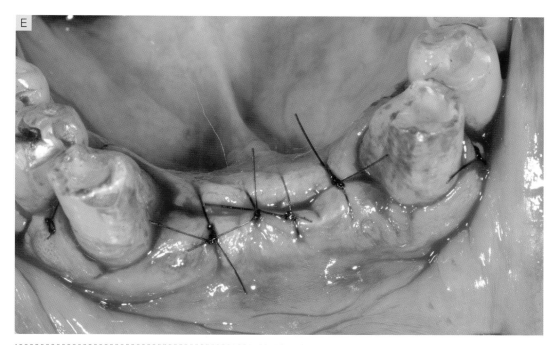

그림 8-13 E. 봉합.

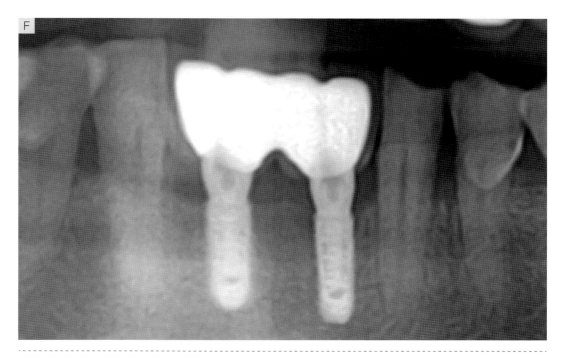

그림 8-13 F. 보철 후 방사선 사진.

Simple Tips

그림 8-13. 좌측 측절치 부위의 협측이 결손이 있습니다.

멤브레인을 다루는데 있어 어떤 경우는 피에 잘 젖어 있는 경우가 다루기 쉬울 때도 있지만 편하게 빨리 하려면 멤브레인이 젖기 전에 빳빳한 상태에서 설측부터 끼워 넣는 것이 좋습니다. 설측을 충분한 깊이로 끼워 넣어야 한 쪽이 고정이 된 상태에서 협측을 잘 덮을 수 있습니다. 설측이 확실히 고정이 되지 않으면 이식재를 덮을 때 빠져 나오기도 하여 다루기가 힘들어집니다. 멤브레인이 젖지 않은 상태에서 설측의 고정이 확실히 된 다음 이식재를 덮고 협측으로 넘깁니다.

이때 밀착을 잘 하고 협측에 이식재를 넘어 기존의 치조골 표면까지 가도록 충분히 멤브레인이 오도록 해야 협측 판막을 덮을 때 멤브레인이 따라 올라오지 않고 깨끗이 밀착이 됩니다.

경우에 따라 releasing incision이 필요할 수 있겠지만 크게 augmentation을 하지 않은 경우 자연스런 봉합으로 마무리됩니다. 흡수성 멤브레인을 사용했을 때 primary closure에 크게 신경을 쓸 것은 없습니다. 오히려 너무 무리하게 단단히 봉합을 하면 혈액공급에 장애를 받아 치유에 안 좋은 영향을 끼칠 수 있으므로 tension free 봉합을 하도록 합니다.

3) Contained B (CB)

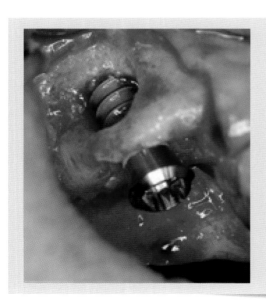
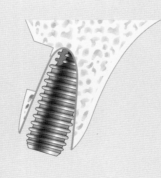

Technique:
- Graft
- Graft immobilization
- Primary stability

CASE 1 | CB defect – 어렵게 한 CASE 1

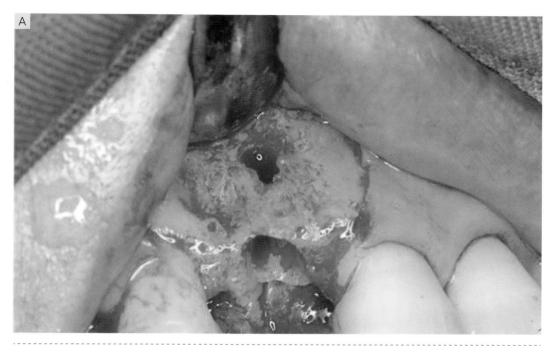

그림 8-14 A. Fenestration defect가 보입니다.

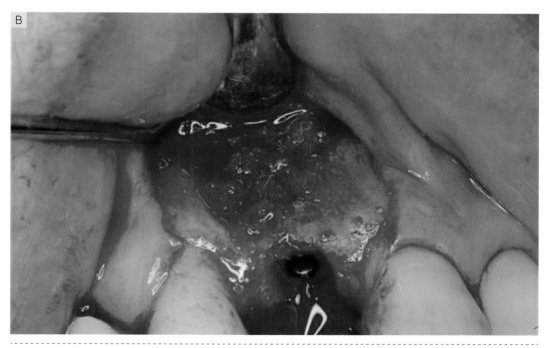

그림 8-14 B. 임플란트 식립 후 동종골 이식재를 위치시켰습니다.

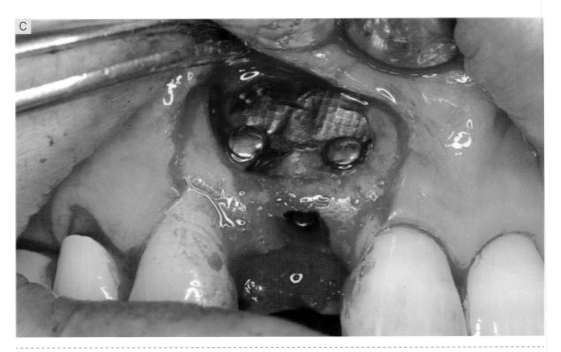

그림 8–14 C. 타이타늄 멤브레인과 bone tack으로 고정했습니다.

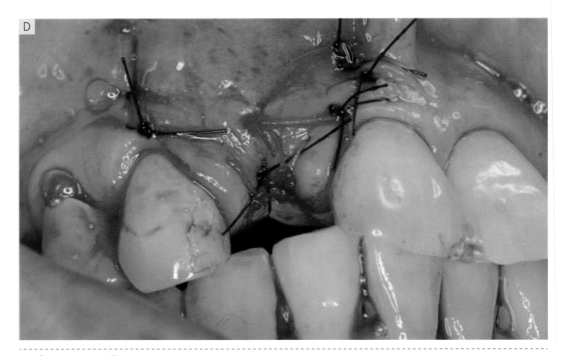

그림 8–14 D. 봉합.

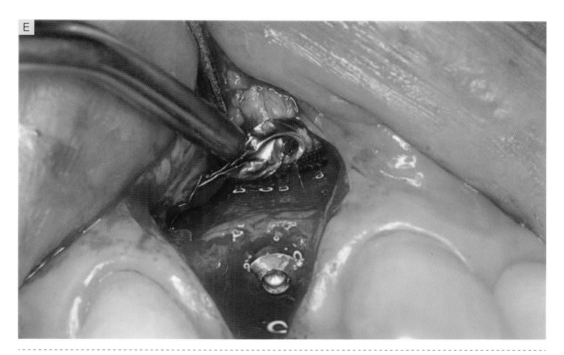

그림 8-14 E. 골 형성을 확인할 수 있습니다.

Simple Tips

그림 8-14. 이전에 한 케이스입니다. 굳이 비흡수성 멤브레인과 bone tack이 필요했을까? 지금이라면 이렇게 하지 않습니다. 더구나 crestal region의 두꺼운 뼈는 임플란트의 안정성을 담보합니다. 임플란트의 대부분에서 골융합이 이루어지므로 지금이라면 노출된 부분을 합성골만으로 처리하는 치료를 할 것입니다. 임플란트의 상부에 든든한 뼈가 있고 하부가 노출된 경우 의외로 겁을 먹을 필요는 없습니다. CB defect는 어찌 보면 가장 하기 쉬운 골이식 케이스입니다. 왜냐하면 임플란트 방어에 중요한 부분이 crestal region인데, 그 곳은 defect가 없고 속 깊은 곳에 defect가 있으며, 또 contained이기 때문에 골 생성도 잘 일어나기 때문입니다. CB defect에 있어 멤브레인은 거의 쓸 일이 없습니다.

CASE 2 CB defect – 쉽게 한 CASE 1

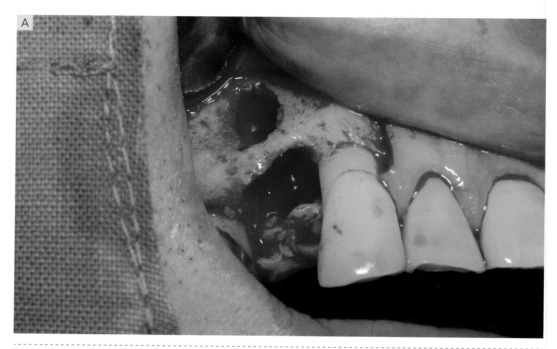

그림 8-15 A. CB defect가 보입니다.

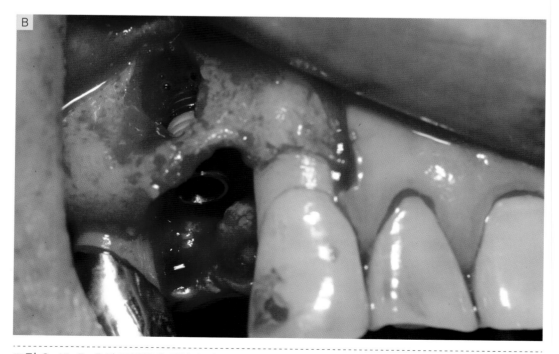

그림 8-15 B. 초기 고정에 유의하며 임플란트를 식립합니다.

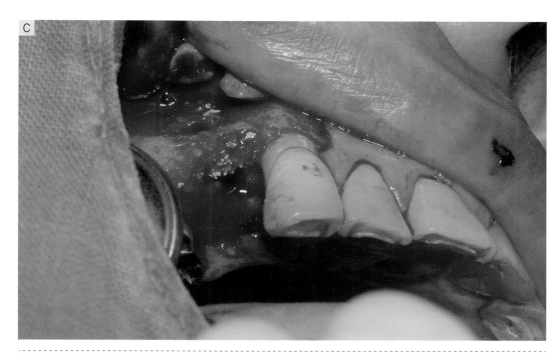

그림 8-15 C. 합성골로 결손부를 채웠습니다.

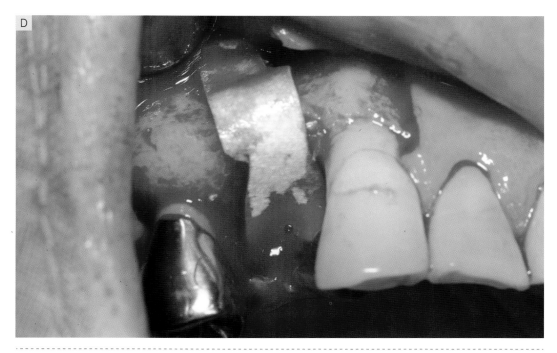

그림 8-15 D. 흡수성 멤브레인으로 덮어 둡니다.

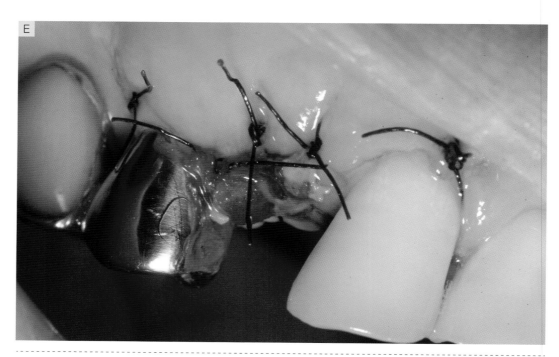

그림 8-15 E. 봉합.

Simple Tips

그림 8-15. 주변에 골이 건전해 보이므로 합성골로 해도 안정성이 있어 보입니다. 사실 연조직만 잘 덮일 수 있다면 멤브레인이 없어도 큰 상관이 없을 케이스입니다.

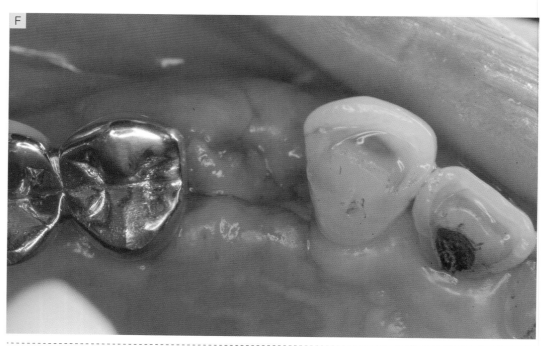

그림 8-15 F. 치유 후.

4) Contained AB (CAB)

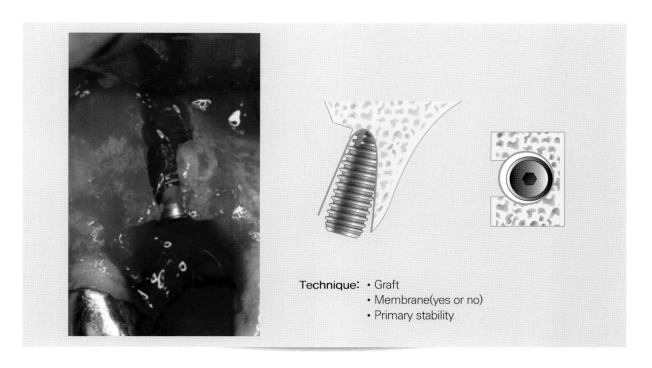

Technique: • Graft
• Membrane(yes or no)
• Primary stability

CAB defect 역시 fenestration과 dehiscence가 연결된 것 외에는 초기 고정만 잘 된다면 오히려 간단한 방법의 골이식이 될 수 있습니다. 약간 상황이 불안정하다면 staged approach를 하는 것이 안전합니다.

CAB defect – 어렵게 한 CASE 1

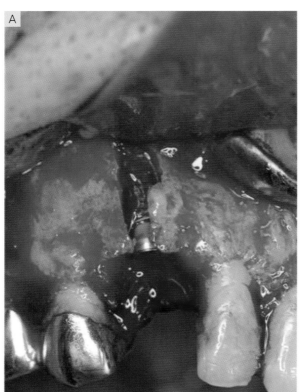

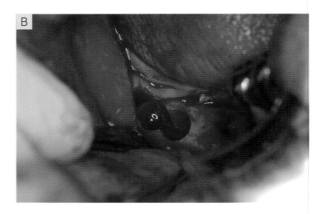

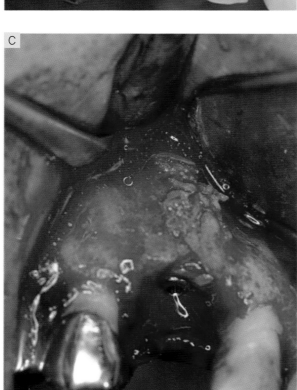

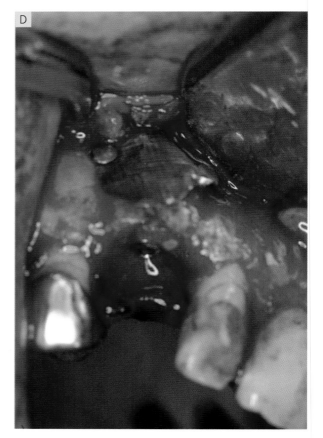

그림 8-16 A. CAB defect에 임플란트를 식립합니다.
B. Buccal shelf에서 자가골을 채취합니다.
C. 이식재로 결손부를 채웁니다.
D. 타이타늄 멤브레인과 bone tack으로 이식재 위를 덮습니다.

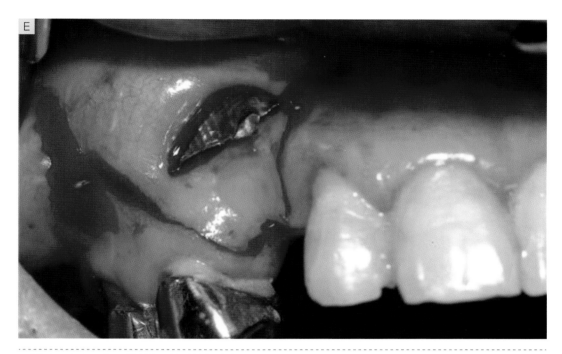

그림 8-16 E. 멤브레인이 노출되었습니다.

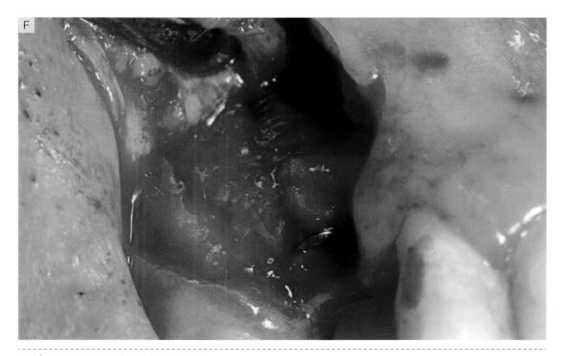

그림 8-16 F. 골 생성이 불량합니다.

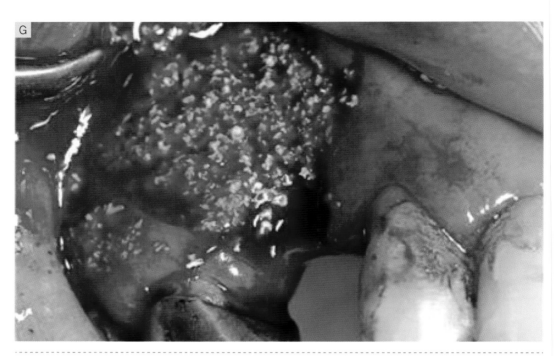

그림 8-16 G. 2차수술 시 합성골로 다시 한 번 골이식을 시행했습니다.

Simple Tips

그림 8-16. 어렵게 자가골 까지 채취하고 bone tack 에 비흡수성 멤브레인까지 했지만 막이 노출되었고 감염은 되지 않았지만 골 은 잘 생기지 않았습니다. 감염이 없었으므로 그 위 에 볼륨을 잘 유지할 수 있 는 합성골을 많이 덮어 주 었고 이후에 보철까지 완 성하여 10년 넘게 잘 쓰고 있습니다. 그러나 이렇게 해야 했을까? 처음부터 그 냥 합성골로만 충분한 볼 륨으로 덮어 주었어도 성 공적으로 되었으리라 생각 됩니다.

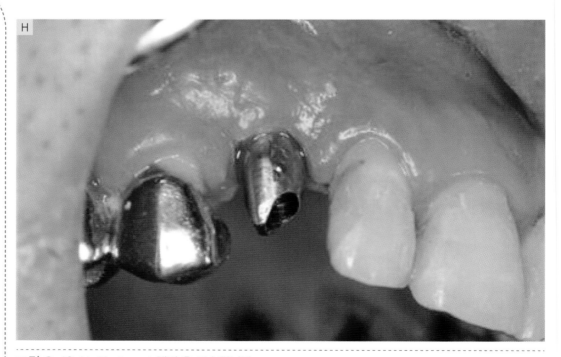

그림 8-16 H. Abutment 체결 후 모습입니다.

CAB defect – 어렵게 한 CASE 2

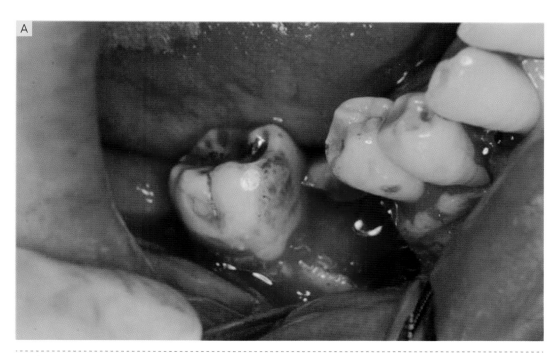

그림 8-17 A. CAB defect 입니다.

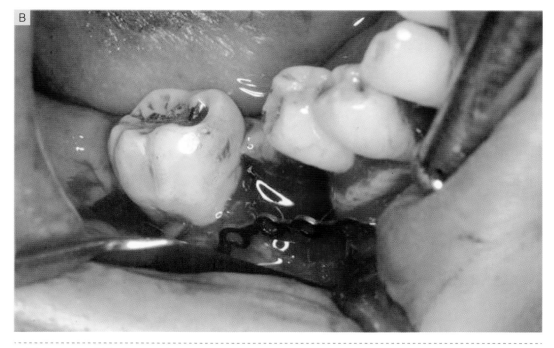

그림 8-17 B. 협측에 plate와 screw로 고정했습니다.

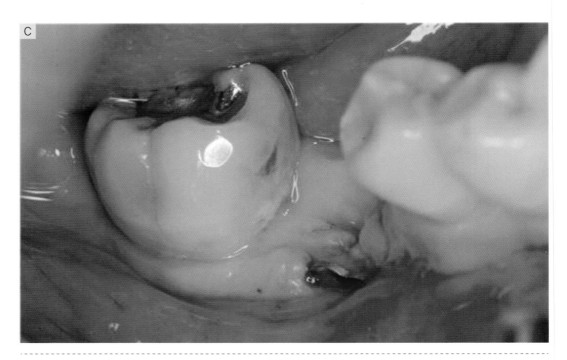

그림 8-17 C. Plate가 노출되었습니다.

Simple Tips

그림 8-17. 어렵게 플레이트를 써서 골이식을 하였지만 오히려 플레이트가 노출되기만 하고 골재생도 잘 되지 않았습니다. Simple하게 이식재만으로 이식하거나 간단한 흡수성 멤브레인으로 충분했었습니다.

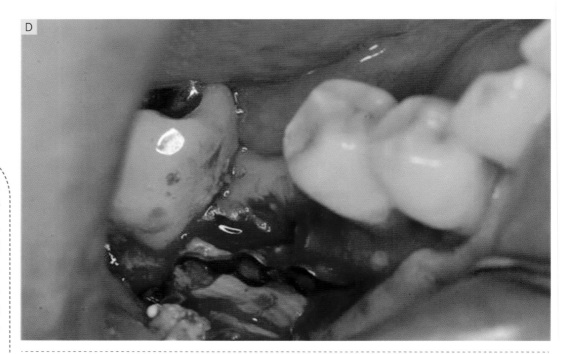

그림 8-17 D. 골재생도 잘 되지 않았습니다.

CASE 3 **CAB defect – 쉽게 한 CASE 1**

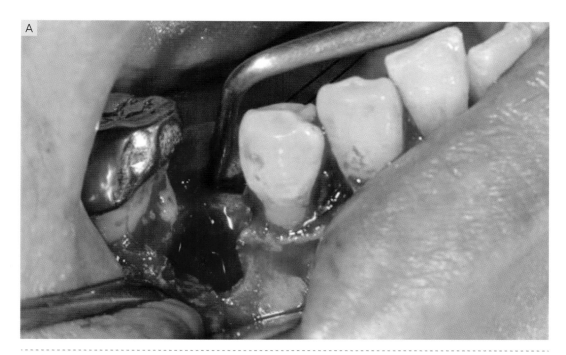

그림 8-18 A. CAB defect가 보입니다.

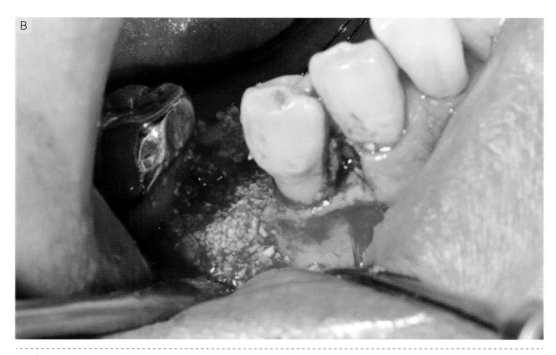

그림 8-18 B. 초기 고정이 어려워 staged approach로 골이식재를 채웠습니다.

그림 8-18 C. 안정성을 높이기 위해 멤브레인을 사용하였습니다.

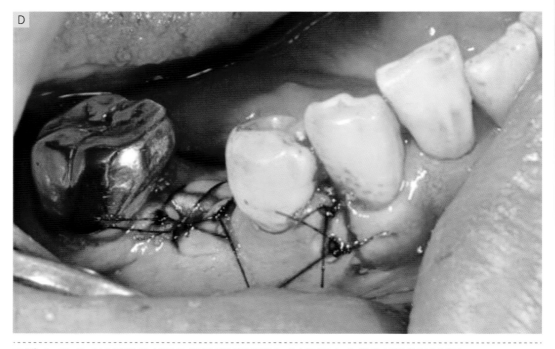

그림 8-18 D. 부착치은의 보존을 위해 멤브레인을 노출시키고 느슨하게 봉합하였습니다.

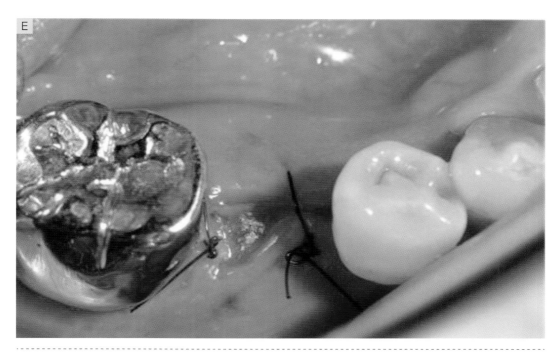

그림 8-18 E. 치유 후 소견입니다.

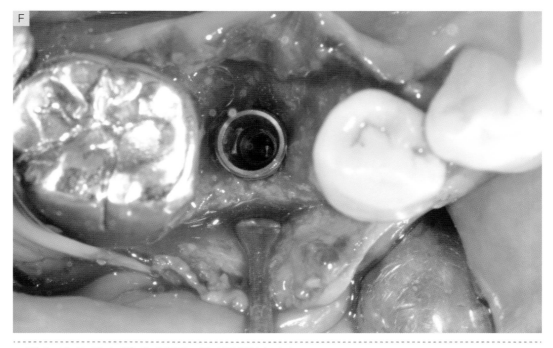

그림 8-18 F. 약 4개월 후 임플란트를 식립하였습니다.

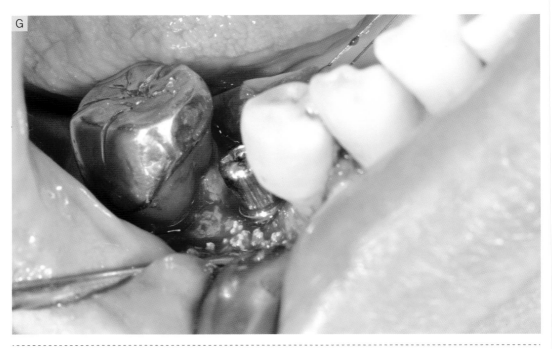

그림 8-18 G. 협측에 골화되지 않은 일부 합성골이 보입니다.

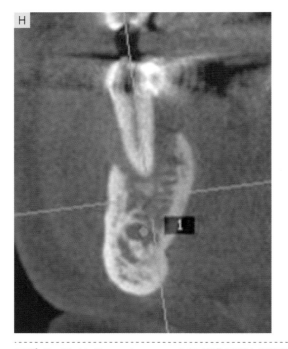 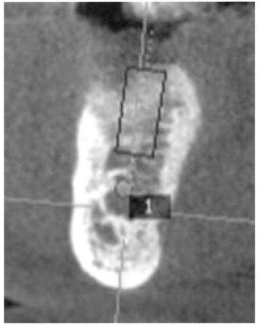

그림 8-18 H. Staged approach로 협측골이 보강되었습니다.

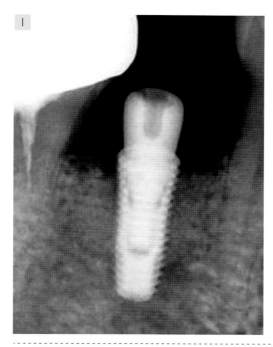

그림 8-18 I. 임플란트 식립 후 방사선 사진.

Simple Tips

그림 8-18. 임플란트를 식립할 수 있는 초기 고정이 되지 않아 ridge preservation을 하기로 했습니다. 동종골을 넣고 멤브레인을 덮습니다. 흡수성 멤브레인을 사용할 경우 약간의 노출은 구강 위생만 잘 유지된다면 큰 문제가 되지 않습니다. 플레이트와 스크루를 쓰지 않아도 됩니다. 비흡수성 멤브레인이나 bone tack을 쓸 필요도 없습니다. 임플란트 식립 후 협측골은 양이 부족해 보이지 않으나 약간의 합성골을 더 추가하면 보다 안정적인 장기 예후를 기대할 수 있습니다.

CASE 4   CAB defect - 쉽게 한 CASE 2

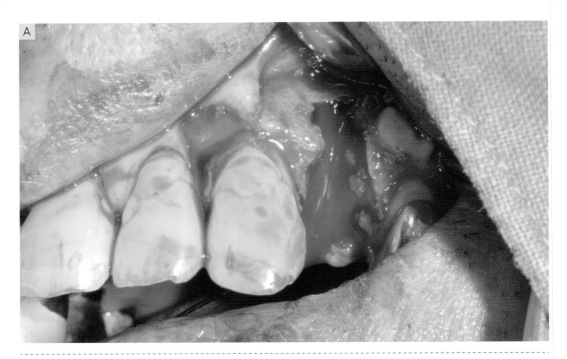

그림 8-19 A. CAB defect 입니다.

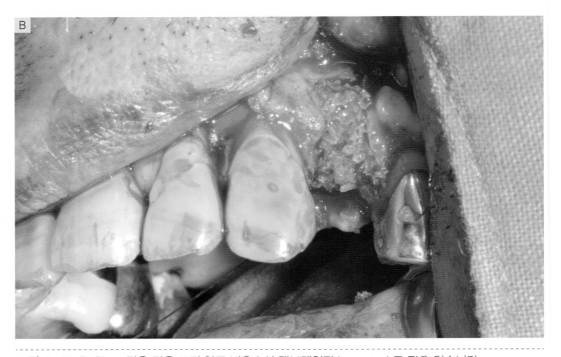

그림 8-19 B. Plate 같은 것은 쓰지 않고 비흡수성 멤브레인과 bone tack도 필요 없습니다.

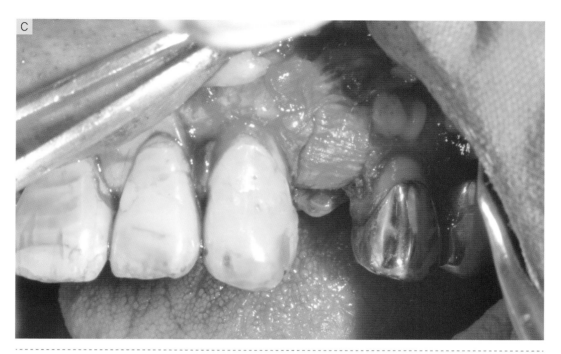

그림 8-19 C. 흡수성 멤브레인을 덮습니다.

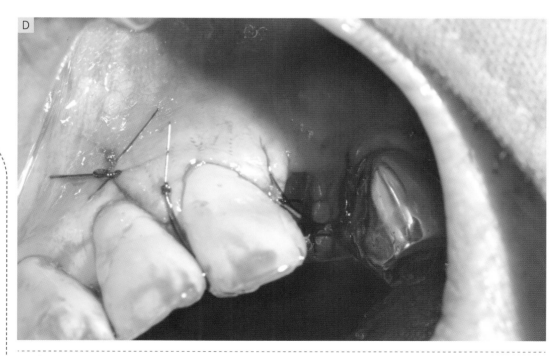

ple Tips

림 8-19. 앞선 케이스와
숫한 경우입니다. 발치
위로 연조직이 다 덮이
않았지만 흡수성 멤브
인을 사용할 경우 구강
생이 잘 될 경우 역시 문
가 되지 않습니다. 여기
도 플레이트도 쓰지 않
releasing incision도
요하지 않습니다.

그림 8-19 D. 봉합 후 모습입니다.

5) Noncontained Total (NT)

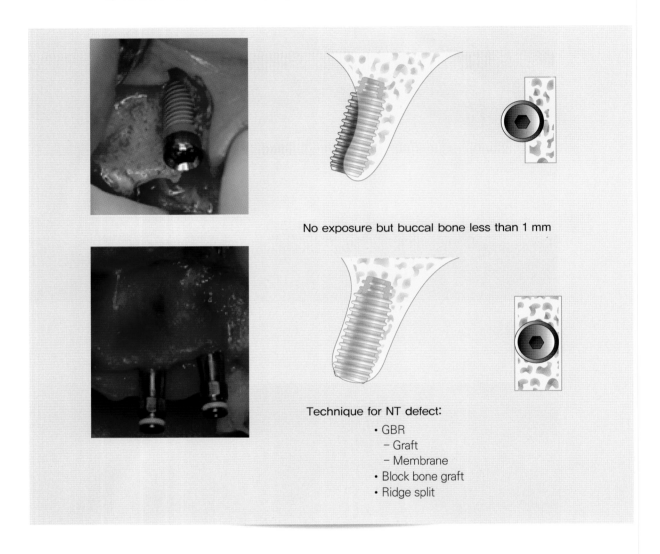

No exposure but buccal bone less than 1 mm

Technique for NT defect:
- GBR
  - Graft
  - Membrane
- Block bone graft
- Ridge split

NT defect는 쉽게 말하면 ridge의 높이는 충분하나 폭이 좁은 경우라고 볼 수 있습니다. 이 경우 lateral에 bone graft를 해야 하며, 이식재가 흩어지지 않도록 멤브레인을 사용하거나 PRGF, PRF 등의 술식으로 안정성을 높여 주는 것이 좋습니다.

CASE 1

NT defect – 어렵게 한 CASE 1

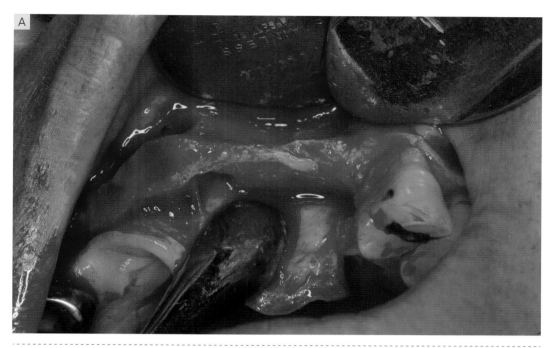

그림 8-20 A. 얇은 치조골이 관찰됩니다.

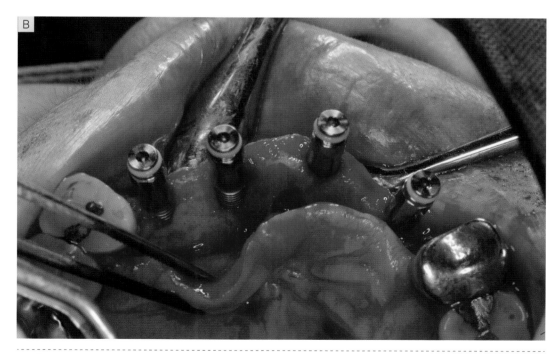

그림 8-20 B. 임플란트를 식립합니다.

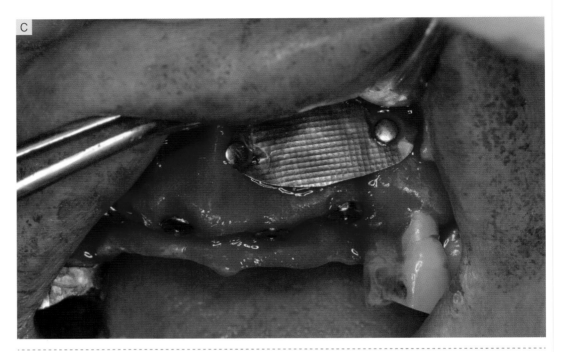

그림 8-20 C. 협측에 이식재를 위치시키고, 타이타늄 멤브레인과 bone tack으로 고정했습니다.

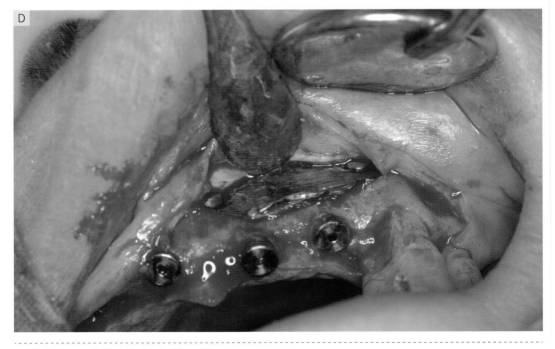

그림 8-20 D. 2차 수술 시 모습입니다.

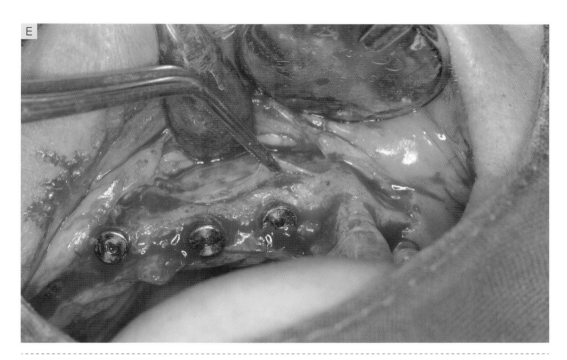

그림 8-20 E. 협측에 여분의 골재생이 이루어졌습니다.

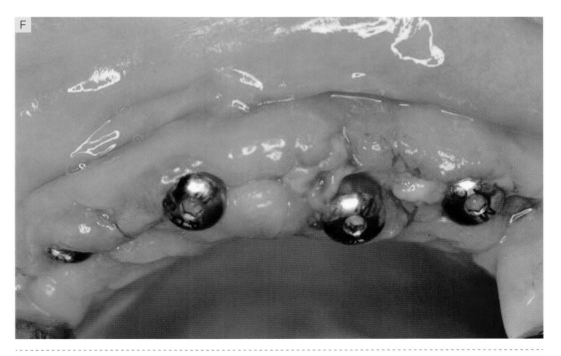

그림 8-20 F. 2차 수술 후 치유 소견입니다.

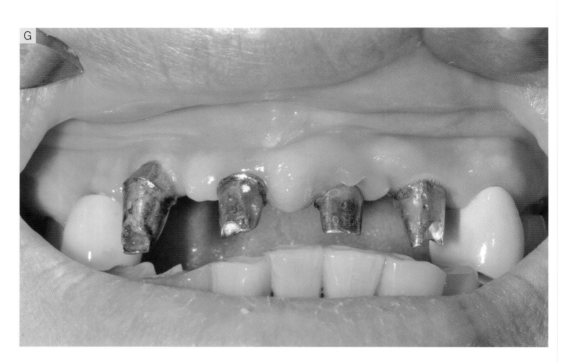

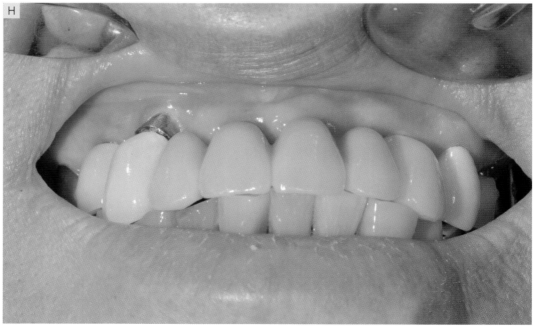

그림 8-20 G, H. 11년이 지난 후 약간의 치은퇴축은 있으나 양호한 상태입니다.

Simple Tips

그림 8-20. 처음의 좁은 ridge를 볼 때 어떤 생각이 듭니까? Ridge split? Block bone graft? 일단 임플란트를 심되 설측은 충분히 공간을 두고 협측으로 "나오면 나오리라"하며 노출을 감수하고 심습니다. 이후 나온 부분을 두껍게 골이식합니다. 11년 전 케이스인데 11년이 지나서도 잘 기능하고 있습니다. 이전에는 NT case의 경우 이렇게 골이식을 하고 비흡수성 멤브레인을 쓰고 bone tack까지 했습니다. 지금이라면 단순히 합성골 이식재만으로 협측에 volume을 늘려 주고 장기적인 osteoconduction을 기대하는 단순한 치료로 갈 것입니다.

<table>
<tr><td>CASE 2</td><td>NT defect – 어렵게 한 CASE 2</td></tr>
</table>

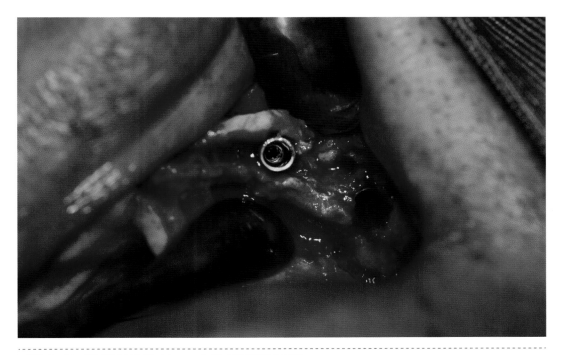

그림 8-21 치조골이 좁아 ridge split를 시행하였습니다.

Simple Tips

그림 8-21. 소구치 부위에서 위 증례와 같이 옆이 터진 경우 ridge split도 가능하겠으나 안전하고 빠르게 하는 방법으로서는 그림 8-26의 방법으로 하는 것도 좋은 방법입니다.

CASE 3　　　　　　　　　NT defect - 어렵게 한 CASE 3

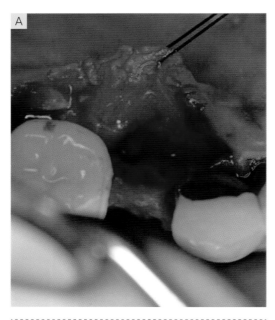

그림 8-22 A. 그냥 심기 어려워 보일 정도로 얇은 치조골입니다.

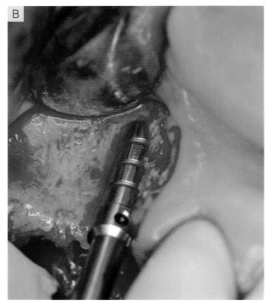

그림 8-22 B. 설측 골판을 유지하면서 드릴링을 시도합니다.

그림 8-22 C. 설측 골판의 두께를 충분히 유지한 채로 임플란트를 식립합니다.

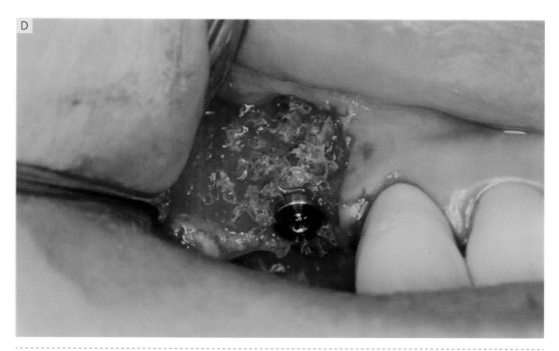

그림 8-22 D. 동종골로 충분히 덮습니다.

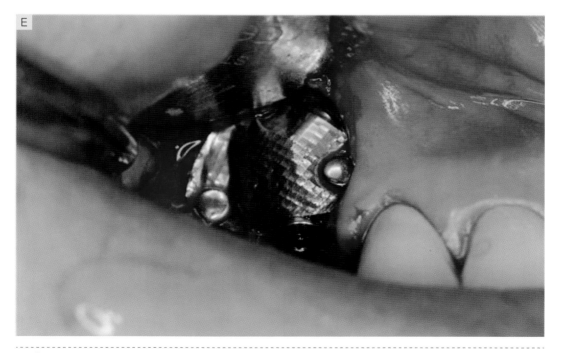

그림 8-22 E. 타이타늄 멤브레인과 bone tack으로 고정합니다.

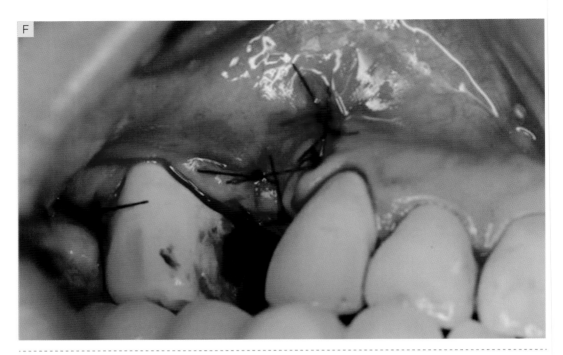

그림 8-22 F. 봉합.

Simple Tips

그림 8-22. 2 mm 폭 남짓의 ridge를 보면 block bone graft가 아니면 안 되겠구나 하는 생각이 들기도 하지만 과감하게 buccal 쪽으로 조심스럽게 드릴링을 해서 one wall defect에 가까운 상태에서 임플란트를 심으며 골이식을 하였습니다. 13년이 지난 지금 gingival recession도 없이 잘 사용하고 있습니다. NCA defect보다 다루기가 어려워 보이지만 술식의 난이도에서 큰 차이는 없음을 확인할 수 있습니다. 그러나 지금 이런 케이스를 다룬다면 역시 흡수성 멤브레인과 이식재로만 할 것입니다.

CASE 4 | NT defect – 쉽게 한 CASE 1

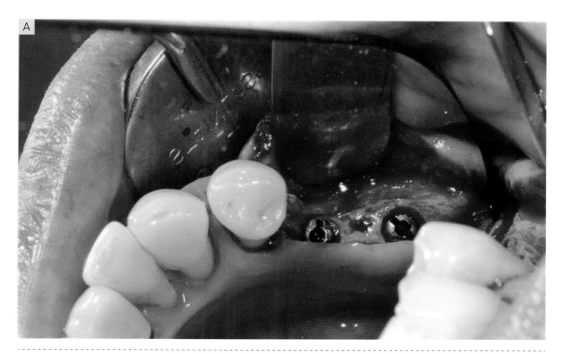

그림 8-23 A. Ridge split 없이 설측에 충분한 골양을 확보하고 임플란트를 식립합니다.

그림 8-23 B. PRGF와 이식재를 혼합합니다.

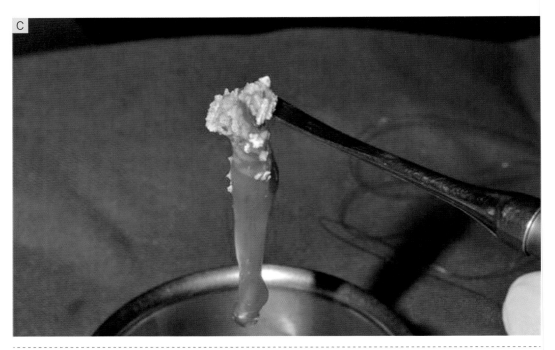

그림 8-23 C. 조작성이 좋아진 이식재의 모습입니다.

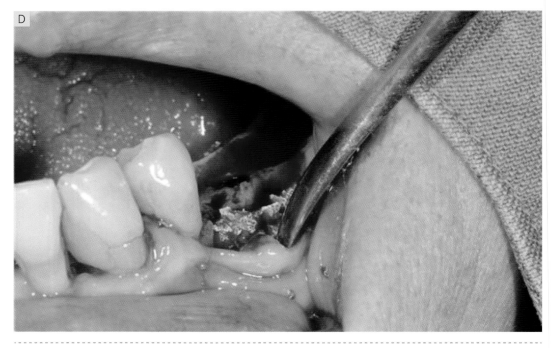

그림 8-23 D. 이식재를 협측에 위치시킵니다. 멤브레인은 사용하지 않았습니다.

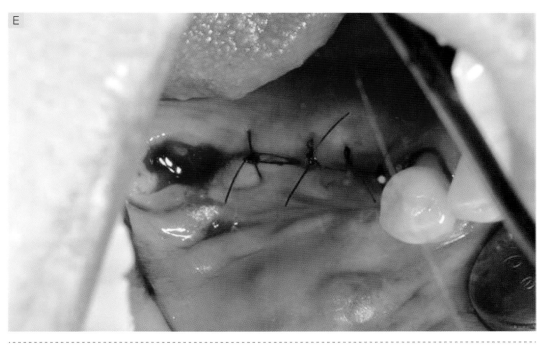

그림 8-23 E. 봉합.

ple Tips

림 8-23. Ridge가 얇
경우 선택할 수 있는
ption은 ridge split,
ck bone graft, lateral
aft 또는 얇은 임플란트
립을 생각할 수 있겠습
다. 이 경우에서는 임플
트를 식립했을 때 협측
덮고 있는 뼈가 1 mm
만이 되었습니다. 이미
플란트 주위를 모두 뼈
덮고 있으므로 그 외의
생성은 늦어도 크게 관
가 없습니다. 이럴 경우
간 유지 능력도 좋고 경
적인 합성골 이식재를
니다. 협측의 volume
증가시키고 물론 오랜
간이 필요하지만 결국
teoconduction으로 골
성을 기대할 수 있습니다.

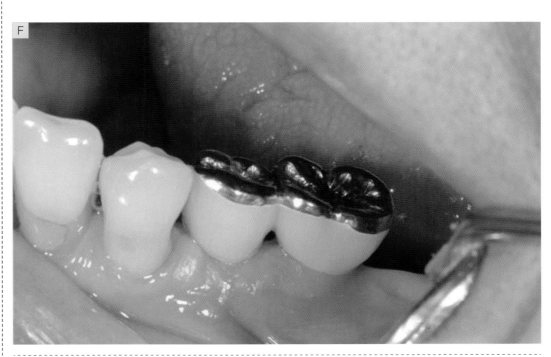

그림 8-23 F. 보철 후 모습입니다.

CASE 5 　　　　　　　　　NT defect – 쉽게 한 CASE 2

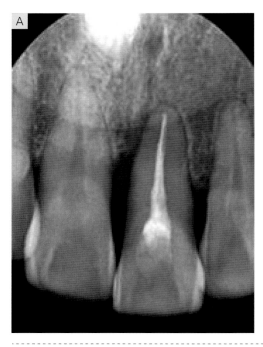

그림 8-24 A. 술전 방사선 사진.

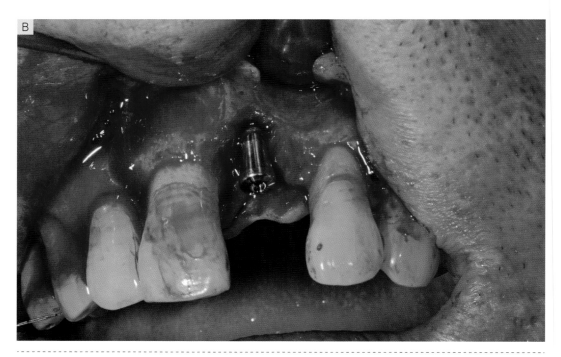

그림 8-24 B. 임플란트 식립 후 협측 골판이 아주 얇습니다.

그림 8-24 C. PRGF와 이식재로 조작성을 높입니다.

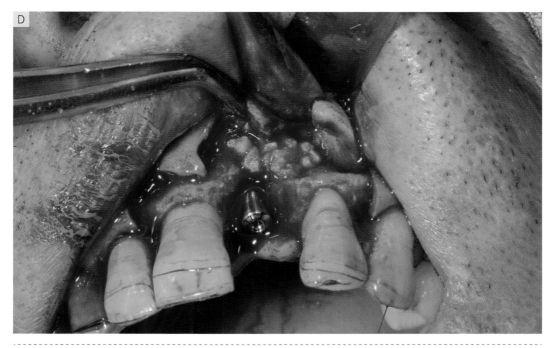

그림 8-24 D. 이식재를 위치시킵니다.

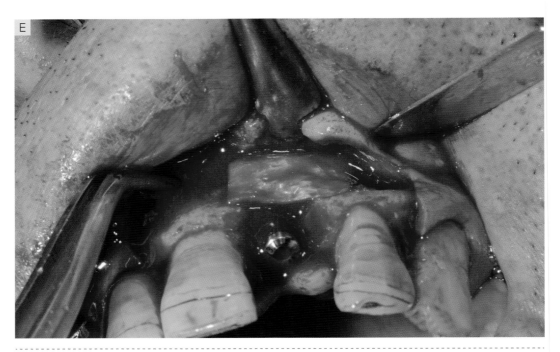

그림 8-24 E. 안정성을 높이기 위해 멤브레인을 덮습니다.

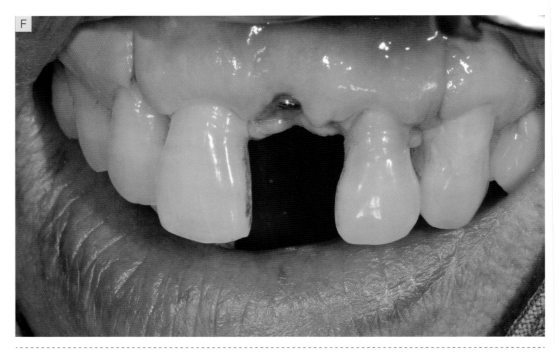

그림 8-24 F. 골이식을 하였지만 발치 후 즉시식립을 하였기에 연조직이 부족해 one stage로 수술하였습니다.

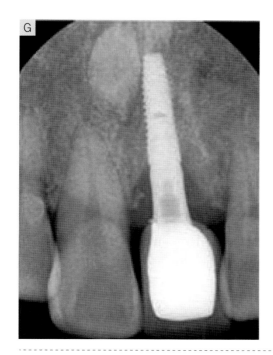

그림 8-24 G. 보철 후 잘 기능하고 있습니다.

Simple Tips

그림 8-24. 전치부에 임플란트를 식립하고 thread의 노출은 없으나 buccal plate가 1 mm 이하로 얇아 안정성을 위해 합성골 이식재를 협측에 이식하였습니다. PRGF의 사용으로 이식재의 조작성과 안정이 좋아 멤브레인의 사용은 필수적이지는 않습니다.

CASE 6   NT defect – 쉽게 한 CASE 3

- Buccal bone 부족으로 인한 periimplantitis
- 임플란트 제거
- 골이식
- Lateral bone graft
  - sore guide/sore bone 0.5 g/ICB 0.25 g

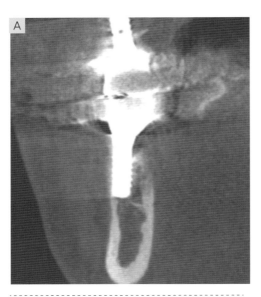

그림 8-25 A. 협측에 bone이 거의 없어 periimplantitis가 생겼습니다.

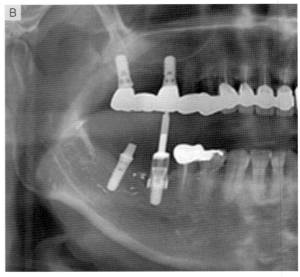

그림 8-25 B. 임플란트 제거.

Simple Tips

그림 8-25. 임플란트가 너무 협측으로 치우쳐 심어진 것을 볼 수 있습니다. 그래도 10년은 썼습니다. 이렇게 협측 골이 얇은 경우 얼마간은 문제가 발생하지 않을 수 있으나 혈액 공급이 약하므로 염증에 취약하여 조건이 안 좋을 때 얇은 뼈가 다 녹아내리기 시작할 수 있습니다. 결국 trephine bur로 임플란트를 제거하고 NT defect가 되었습니다.

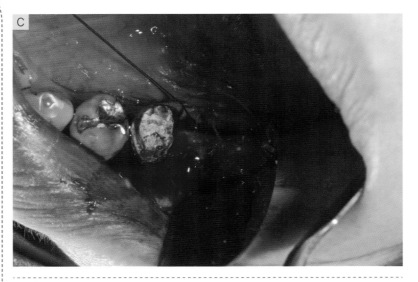

그림 8-25 C. 임플란트 제거 후 모습입니다.

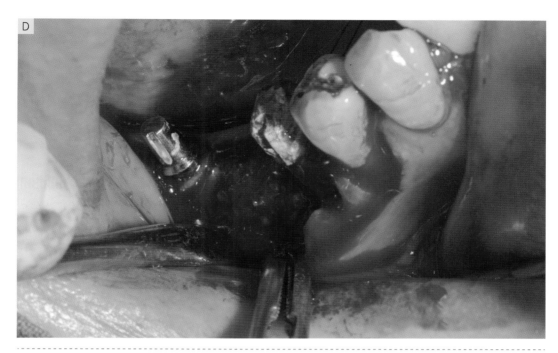

그림 8-25 D. 골이식재를 채웁니다.

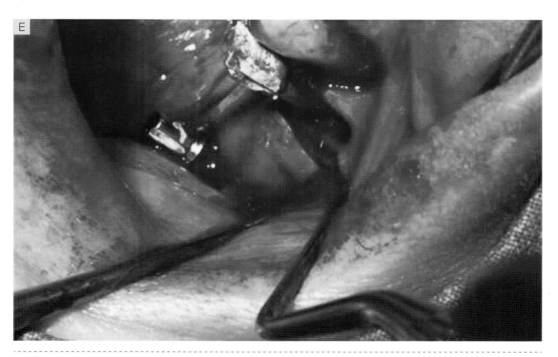

그림 8-25 E. 멤브레인을 덮습니다.

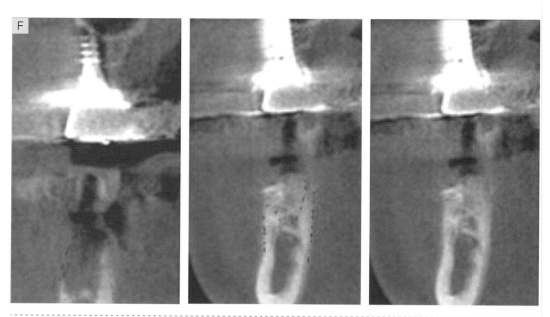

그림 8-25 F. 붉은 점선으로 된 외형이 이식 전의 상태이며, 나머지 부분이 골이식을 통해 회복되었습니다.

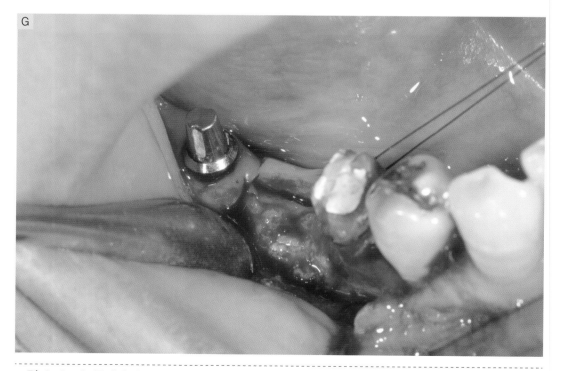

그림 8-25 G. 골재생된 소견입니다.

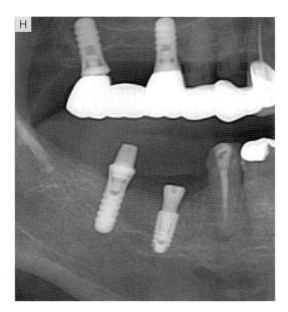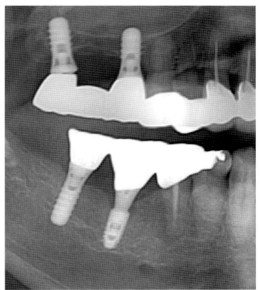

그림 8-25 H. 임플란트 식립 후 보철을 완료했습니다.

Simple Tips

그림 8-25. Defect가 크므로 골이식재와 멤브레인을 사용하였습니다. 이런 경우 bone tack이나 titanium mesh 같은 복잡한 제품들을 쓰지 않고 간단히 흡수성 이식재만으로도 volume의 증대가 가능함을 확인할 수 있습니다. 물론 앞의 케이스에서와 같이 임플란트를 식립하면서 골이식을 할 수도 있으나 임플란트 제거 후의 불안정한 연조직 피개 등 불안정한 요소가 있었으므로 staged approach를 하여 안정성을 높였습니다.

CASE 7 | NT defect – 쉽게 한 CASE 4

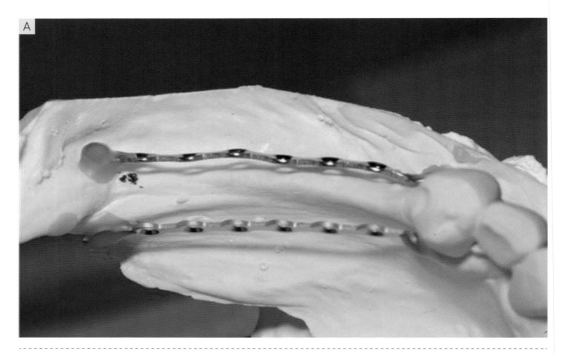

그림 8-26 A. 치조골이 얇아 plate를 쓰려고 계획하였습니다.

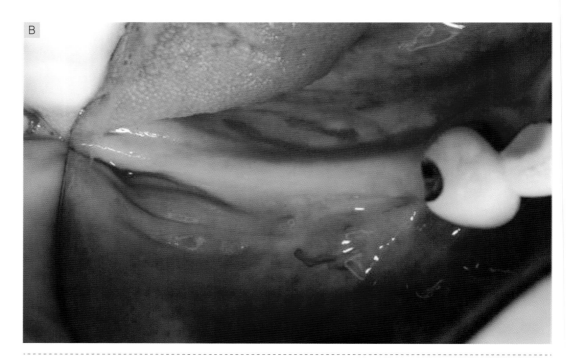

그림 8-26 B. 술전 상태입니다.

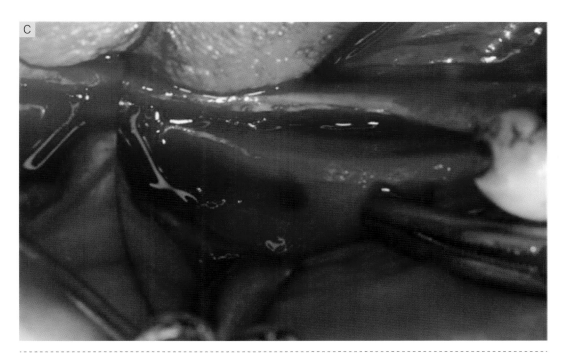

그림 8-26 C. 매우 얇은 치조골이 관찰됩니다. 사정이 여의치 않아 플레이트를 사용하지 않았습니다.

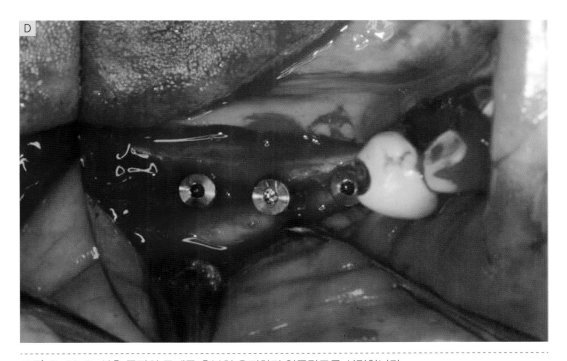

그림 8-26 D. 설측 골판의 두께를 충분히 유지하며 임플란트를 식립합니다.

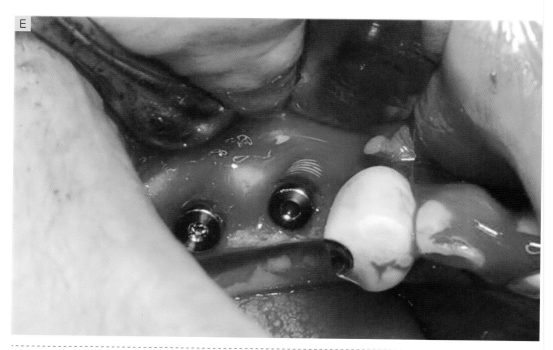

그림 8-26 E. 협측으로 임플란트의 대부분이 노출되어 보입니다.

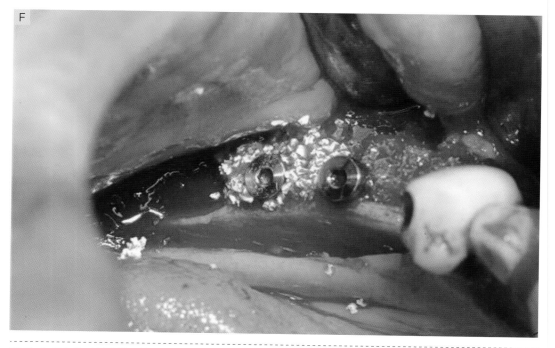

그림 8-26 F. 사진에는 없지만 이식재와 비흡수성 멤브레인을 사용하였습니다.

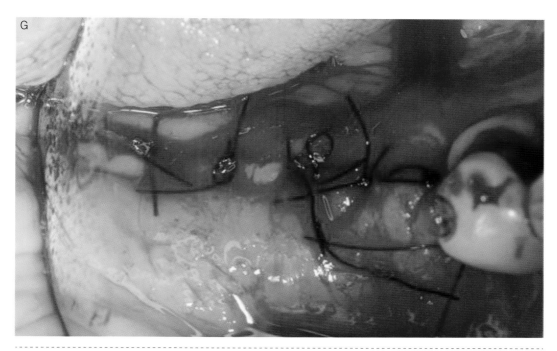

그림 8-26 G. 봉합.

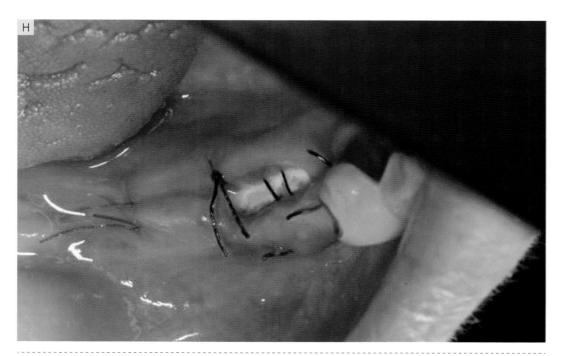

그림 8-26 H. 멤브레인이 일부 노출되었습니다.

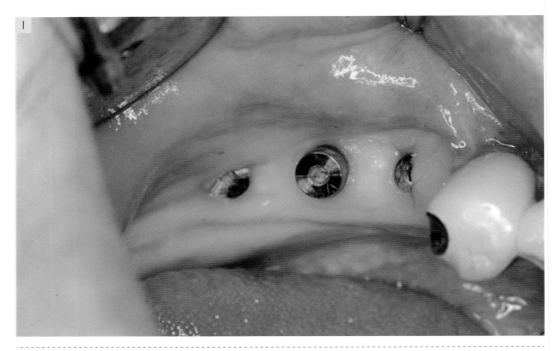

그림 8-26 I. 시간이 지나며 일부 더 노출이 일어났습니다.

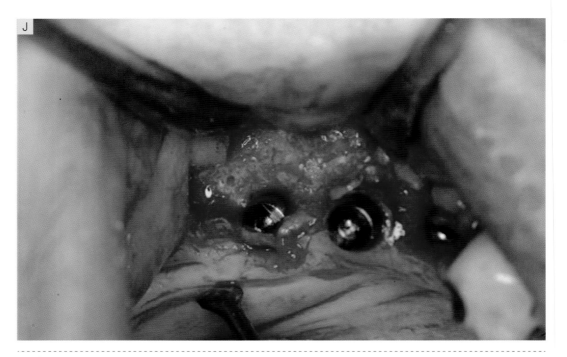

그림 8-26 J. 노출이 있었지만 골재생은 비교적 잘 일어났습니다.

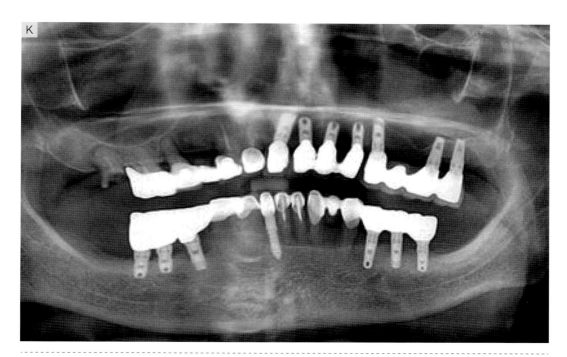

그림 8-26 K. 10년이 지난 뒤 방사선 사진입니다.

Simple Tips

그림 8-26. 플레이트를 써서 augmentation을 하려다가 치조골 설측판의 높이가 충분하였으므로 설측판을 그대로 살리고 임플란트를 식립하여 one wall defect에 가까운 NT 형태의 defect가 되었습니다. 협측에는 비흡수성 멤브레인과 bone tack을 이용하여 이식재를 고정하였습니다. 멤브레인 일부가 노출되었으나 감염이 되지 않아 협측에 골재생은 잘 일어났습니다. 10여년이 지난 시점에서 임플란트는 잘 기능하고 있습니다. 지금 이런 케이스를 한다면 물론 흡수성 멤브레인으로만 하거나 골이식재만으로 간단하게 하였을 것입니다.

6) Noncontained A (NCA)

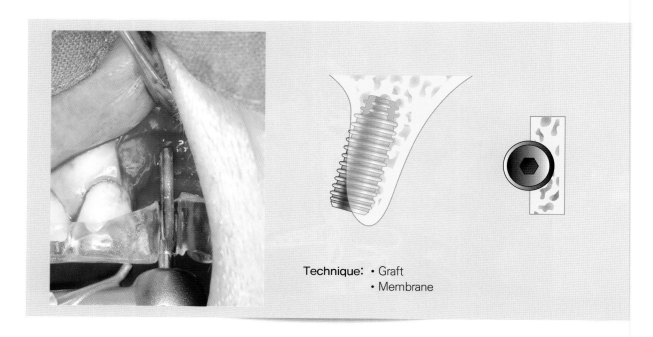

Technique: • Graft
• Membrane

치조정 부분이 noncontained defect라 골재생이 다소 불리하므로 멤브레인을 써주는 것이 안정적입니다.

NCA defect – 어렵게 한 CASE 1

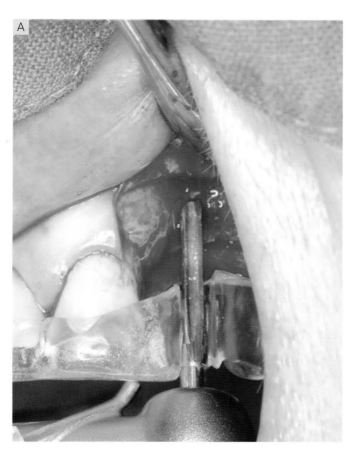

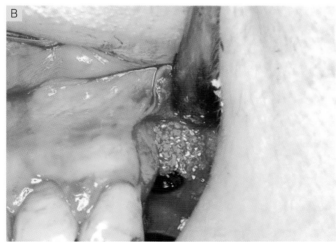

그림 8-27 A. 설측 골판의 두께를 유지하며 드릴링을 합니다.
B. 노출된 임플란트 부위를 이식재로 덮습니다.

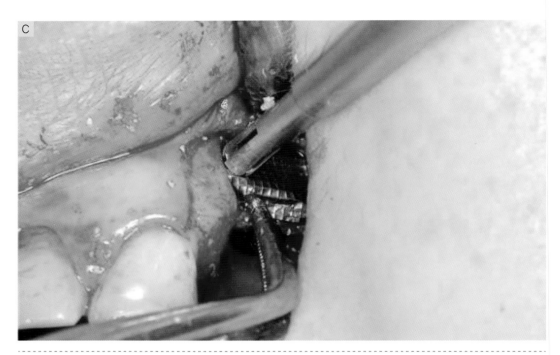

그림 8-27 C. 타이타늄 멤브레인과 bone tack으로 고정합니다.

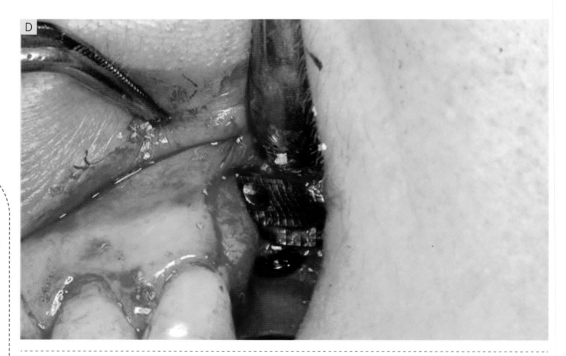

Simple Tips

그림 8-27. 역시 지금 한다면 당연히 이렇게 하지 않을 것입니다. Contained에 비해 약간은 불리하지만 협측으로 좀더 볼륨 있게 이식재를 쌓아 준다면 문제 없이 훌륭한 골이식이 될 것입니다.

그림 8-27 D. 완료된 모습입니다.

7) Noncontained B (NCB)

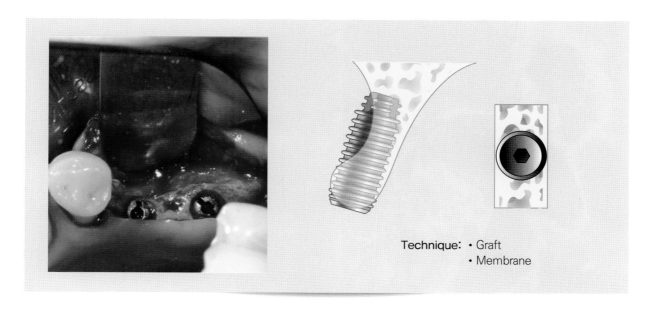

Technique: • Graft
• Membrane

CASE 1 NCB defect – 어렵게 한 CASE 1

그림 8-28 A. NCB defect입니다.

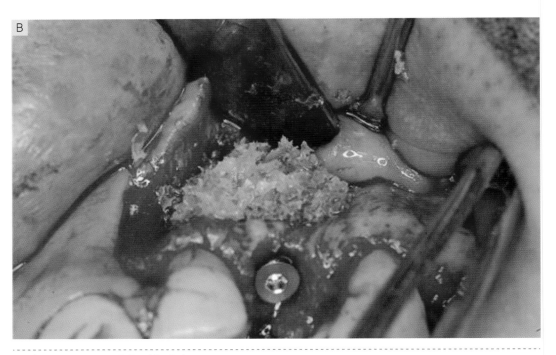

그림 8-28 B. 동종골을 덮습니다.

그림 8-28 C. 타이타늄 멤브레인과 bone tack으로 고정하였습니다.

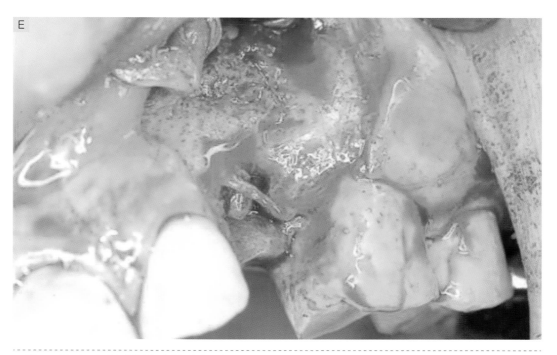

그림 8-28 D, E. 골재생이 잘 일어났습니다.

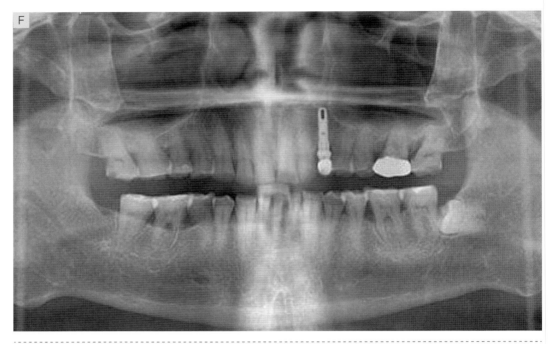

그림 8-28 F.10년 이상 지나서도 기능을 잘 하고 있는 모습입니다.

Simple Tips

그림 8-28. 비록 근단부가 noncontained이기는 하나 CB defect와 크게 다르지는 않습니다. 역시 지금 이라면 근단부가 noncontained라 할지라도 굳이 비흡수성 멤브레인은 필요로 하지 않는다는 것이 임상 적 경험의 결론입니다.

CASE 2 　　　　　　　NCB defect – 쉽게 한 CASE 1

그림 8-29 A. 협측골의 상태가 불량합니다.

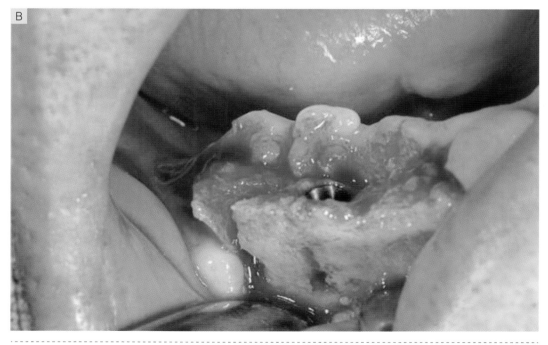

그림 8-29 B. 임플란트 식립 후 근단부 임플란트가 비쳐보입니다.

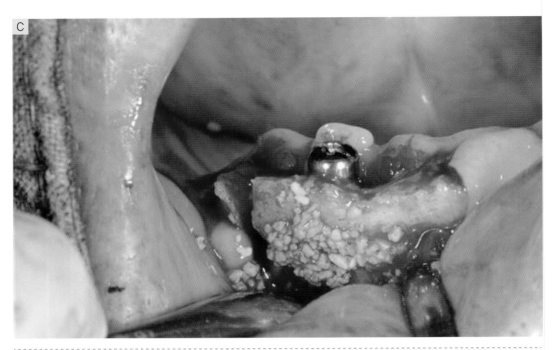

그림 8-29 C. 근단 부위로 골이식재만을 위치시킵니다.

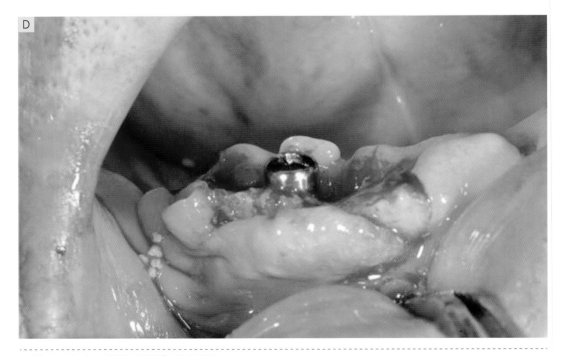

그림 8-29 D. 그대로 판막을 덮습니다.

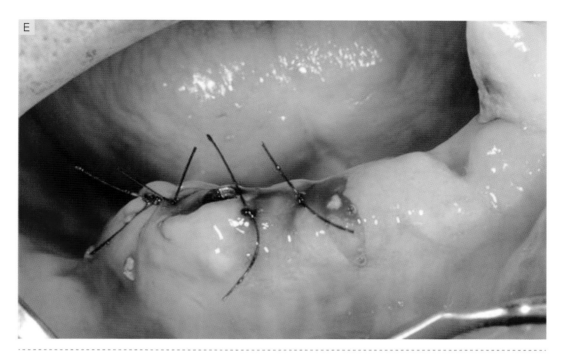

그림 8-29 E. 봉합.

Simple Tips

그림 8-29. 임플란트 식립 후 하방에 약간의 노출과 얇은 협측 치조골이 관찰됩니다. 근단 부위가 noncontained defect라 생각할 수 있는 정도였지만 멤브레인 없이 합성골 이식재만으로 처리하였습니다.

CASE 3　　　　NCB defect – 쉽게 한 CASE 2

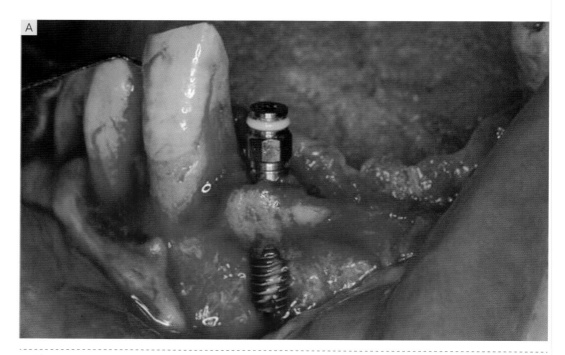

그림 8-30 A. NCB defect입니다.

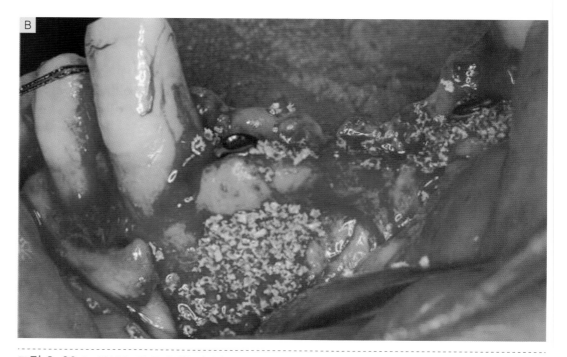

그림 8-30 B. 합성골로만 골이식을 시행합니다.

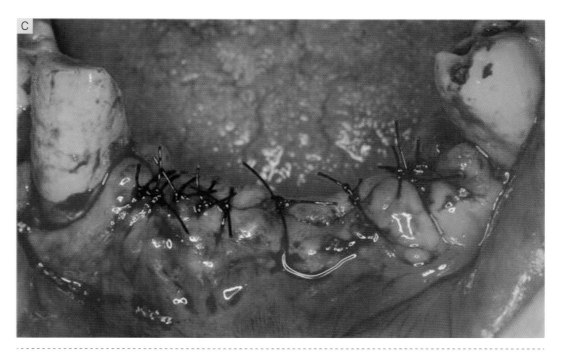

그림 8-30 C. 봉합.

표 8-4 골 결손의 분류와 이에 따른 골재생 테크닉

Horizontal Defect Classification *by Dan, 2006*		
I. Contained	약자	골재생 테크닉
1. Contained Total	CT	No graft, No membrane
2. Contained A	CA	Graft
3. Contained B	CB	Graft
4. Contained AB	CAB	Graft + (Memb)
II. Noncontained		
5. Noncontained Total	NT	Graft + (Memb)
6. Noncontained A	NA	Graft + (Memb)
7. Noncontained B	NB	Graft + (Memb)

③ 결론

골이식재와 차폐막의 선택은 임상가에 있어 중요합니다. 선택 기준은

1) 골재생 효과

2) 조작성

3) 가격

입니다.

합성골 이식재는 골재생 능력이 동종골에 비해 떨어지나 가격이 저렴하며, 또 동글동글하며 다소 불규칙적인 모양, 적절한 입자 크기로 조작성을 좋게 합니다. 합성골은 CT, CA, NT의 nonexposure defect나 상악동 골이식술의 경우 단독으로 쓰일 수 있으며 성능 대비 가격 측면에서 성공적으로 사용될 수 있습니다.

이전에는 확실한 골재생 효과를 기대한다는 의미에서 가능한 한 비흡수성의 차폐막을 선호하였으나 CAB defect나 NT, NB defect에서도 흡수성 차폐막을 쓰면서 이식재의 선택에 있어 동종골의 함량을 높이면 성공적인 골재생을 기대할 수 있습니다. 과거의 bone tack의 사용이나 수술 시 periosteal releasing incision같은 invasive하며 환자에게 traumatic한 술식을 줄일 수 있으며 간단하고 신속한 골이식술을 시행할 수 있습니다.

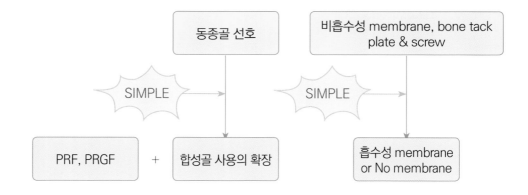

208

상악동 골이식술에 대하여

SIMPLE CRESTAL & LATERAL APPROACH

단정배의
ECES
Concept & Technique

Evidence Based

Clinically Oriented

Experience Approved

Simplified

상악동 골이식은 수술의 난이도가 다소 높고 상악동염의 합병증이 있을 수 있지만 예지성 있게 골재생을 일으킬 수 있는 테크닉입니다.

다른 수술 테크닉도 마찬가지지만, 특히 상악동 수술의 합병증과 수술 부위의 광범위성으로 인한 술후 고통을 최소화 하기 위해 많은 노력들이 있어 왔습니다. 전통적으로 상악동 골이식술은 crestal approach와 lateral approach로 나눌 수 있으며 그 기준은 잔존골의 높이였습니다.

잔존골의 높이가 낮은 경우 crestal approach로는 성공율이 떨어진다는 주장은 임상가들에게 약간의 혼란을 주었습니다. 약간의 경험만으로도 crestal approach와 lateral approach가 골재생 효과에 차이를 일으키지 않는다는 것을 알 수 있습니다. 다만 술자의 편이성과 환자의 상황에 따라 어느 방법을 택할지를 결정해야 할 문제이지 효과의 차이의 문제는 아닙니다.

① Crestal approach

1) 기구

Crestal approach는 crestal approach를 위해 전용으로 나온 safety drill을 사용합니다.

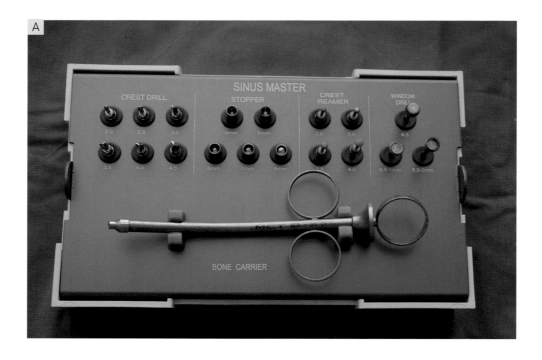

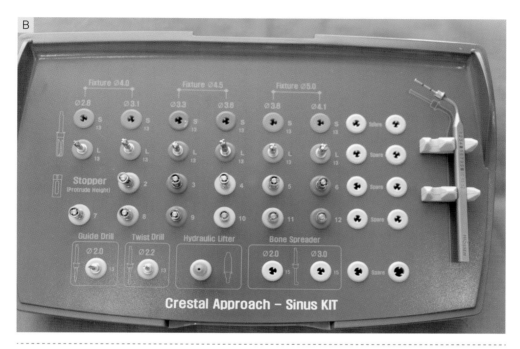

그림 9-1   A, B. Crestal approach를 위한 드릴은 상악동 막에 접촉했을 때 천공을 막거나 최소
화하도록 디자인되었으며, 1 mm 씩 안전하게 상악동저에 접근하며 드릴링하게
되어 있습니다.

2) 술식 (CAS kit의 예)

Surgical procedures

① Ø2.0 Twist Drill → ② Ø2.7 Sinus Drill → Ø3.2 Sinus Drill → ③ Depth Gauge → Hydro Membrane Lift (or)

① Ø2.0 Twist Drill을 이용하여 상악동 하연 1 mm 하방까지 진입한다.
② Ø2.7 Sinus Drill을 순차적으로 이용하여 넓힘과 동시에 1mm 더 전진한다.
　(400~600 RPM)
③ 상악동 하연 개통 여부 확인:
　i) depth gauge를 이용하여 확인
　ii) hydro membrane lift를 이용
　　- 1cc 주사기 사용 권장
　　- tube 내에 식염수를 먼저 채운 후 1cc 식염수를 2~3회 나누어 주입한다.
　　- 하연이 개통된 경우: 식염수 주입시 홀 주위로 거의 새어 나오지 않으며 주입 후 aspira-
　　　tion시 혈액이 섞인 채로 흡입된다.
　　- 하연이 개통되지 않은 경우: 주입시 back pressure에 의해 주사기 plunger가
　　　밀려나오거나 aspiration시 공기가 혼입된다.

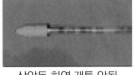

상악동 하연 개통 안됨

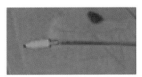

상악동 하연 개통

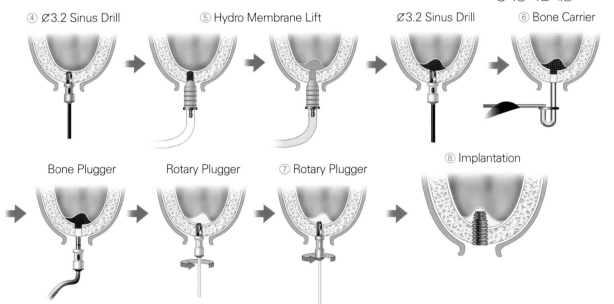

④ Ø3.2 Sinus Drill → ⑤ Hydro Membrane Lift → Ø3.2 Sinus Drill → ⑥ Bone Carrier

Bone Plugger → Rotary Plugger → ⑦ Rotary Plugger → ⑧ Implantation

④ 상악동 하연 개통이 이루어지지 않았을 경우 Ø3.2 Sinus Drill로 1 mm 더 전진한 후 재확인한다.
⑤ 상악동 하연 개통이 확인되면 식염수를 일부 주임하여 상악동 점막을 거상시킨 상태에서 Ø3.2 Sinus Drill로 상악동 하연에서
　약 1 mm 더 전진하여 개통부 가장자리 골조직을 제거한다.
⑥ Bone Carrier, Bone Plugger를 상악동 내부로 약 1 mm 진입시켜 골이식재를 wide dome shape으로 넓게 퍼트린다.
⑦ 골이식재를 채우고 rotary plugger를 상악동 내부로 약 1 mm 진입시켜 골이식재를 wide dome shape으로 넓게 퍼트린다.
⑧ 골이식 완료 후 final diameter의 sinus drill이나 rotary plugger를 이용하여 골벽내의 잔존 골이식재를 정리하고 임플란트를
　식립한다.

그림 9-2　처음 드릴링은 2 mm 드릴을 사용하여 하지만 상악동저에 접근했다 싶으면 가능하면 3 mm 이상의 드릴로
　　　　상악동저의 cortical bone을 뚫는 것이 보다 안전합니다. 드릴이 넓을수록 막의 천공 가능성은 적어집니다.

(1) 상악동저를 향하여 1 mm 씩 전진하여 가다가 상악동저의 cortical bone이 천공되는 느낌을 임상적으로 확인합니다. 일반적으로는 드릴링 시 보통의 저항보다 큰 저항이 느껴지는 point가 있습니다. 대개는 이 point가 상악동저의 cortical bone입니다. 이때 약간 힘을 주어 밀고 들어가면 갑자기 저항이 없어지는 순간이 있는데 이 때가 상악동저의 cortical bone이 천공되는 순간입니다. 이 때 드릴링을 전진하는 것을 멈춥니다. 그러나 bone의 상태에 따라 큰 저항을 확인할 수 없는 경우도 있으며 언제인지 모르게 천공되는 경우도 있으므로 주의가 필요합니다. 어떻든 cortical bone이 제거되었다 싶으면 끝이 무딘 탐침으로 cortical bone의 천공 여부를 확인합니다.

(2) Cortical bone이 제거된 것이 확인되면 정수압을 이용하여 막을 먼저 거상합니다. 막이 천공되지 않았을 경우 식염수를 시린지로 넣을 때 식염수를 주입하다 힘을 빼면 약간의 rebound 현상이 발생합니다.

정수압을 이용하는 기구가 없다면 이식재만으로 막을 거상합니다. 이식재만으로 거상을 할 때도 막이 천공되지 않았다면 이식재를 넣을 때마다 약간의 rebound 현상을 느낄 수 있습니다.

발살바스 머뉴버라 하여 코와 연구개 쪽을 닫고 코로 숨을 내 쉬게 하여 드릴링한 구멍으로 바람이 새는지의 여부를 확인할 수도 있습니다.

(3) 이식재를 소량씩 드릴링 사이트로 넣고 상악동저 깊이 정도까지 오스테오톰을 이용하여 밀어 넣습니다. 한 번에 양을 조금씩 하여 천천히 넣는 것이 상악동막의 장력을 서서히 증가시키면서 거상하므로 안전합니다.

(4) 0.25 cc 정도 넣은 후 방사선 사진을 촬영하여 막이 잘 거상되고 이식재가 잘 들어가고 있는지 확인합니다. 일반적으로 잘 거상된 막은 이식재가 dome shape으로 올라가며 흩어져 있지 않습니다.

그림 9-3 막이 천공되지 않고 정상적으로 거상이 될 경우 주사기의 시린지를 조금씩 눌렀다가 떼면 시린지가 살짝 뒤로 밀리는 것을 확인할 수 있습니다.

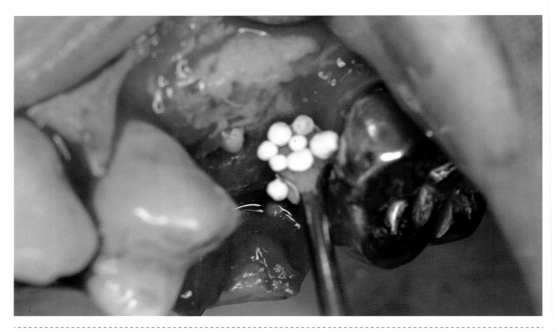

그림 9-4 이식재를 조금 조금씩 넣는 것이 좋습니다. 너무 서두르지 말고 차근차근해 나갑니다. 조금씩 넣어 주면서 장력을 분산시키고 플러거로 이식재를 중간중간 옆으로 흩뜨린다는 느낌으로 퍼져 나가게 하는 것이 좋습니다. 막이 천공되지 않았을 경우 이식재를 밀어 넣어 올릴 때마다 약간의 저항과 rebound되는 느낌을 가질 수 있습니다.

만일 저항 없이 이식재가 그냥 들어간다면 즉시 엑스레이를 찍어 천공 여부를 확인합니다. 천공이 되었을 때는 이식재가 잘 보이지 않거나 흩어져 보입니다.

방사선 촬영을 하여 막의 천공이 확인되면 이식을 중단하고 짧은 임플란트로 마무리하거나 다음을 기약합니다.

천공 시 넣은 이식재의 양이 미미할 경우 상악동염 발생 위험은 적으나 가능한 한 석션으로 이식재를 제거할 수 있는 만큼 제거하는 것이 좋습니다. 일반적인 구강 내 연조직의 치유기간을 생각할 때 적어도 8주 이후에 재수술할 것을 추천합니다.

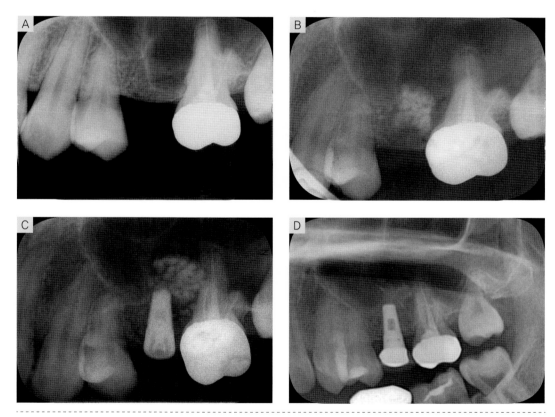

그림 9-5 막이 천공되지 않고 잘 거상이 되면 이식재가 흩어 상악동 내에 흩어지지 않고 dome-shape 으로 보입니다.
   A. 술전 방사선 사진입니다. 임플란트 식립할 부위로 ceptum으로 보이는 구조가 보이며 lateral approach가 부담스럽게 느껴집니다.
   B. 막의 천공이 일어나지 않았는지 방사선 사진을 촬영하여 확인합니다.
   C. 임플란트 식립 직후 방사선 사진
   D. 충분한 시간이 지나면서 동글 동글한 입자의 모습은 보이지 않게 되었습니다. 골화가 잘 일어났음을 알 수 있습니다. Sinus floor의 경계도 보이지 않게 되었습니다.

215

소량을 넣어 보고 확인하는 이유는 막이 천공된 것을 모르고 많은 양의 이식재가 들어갈 경우 상악동염을 일으킬 가능성이 높으며, 천공이 되더라도 이식재의 양이 적다면 상악동염을 일으킬 가능성이 낮기 때문입니다.

CASE | **Crestal approach CASE**

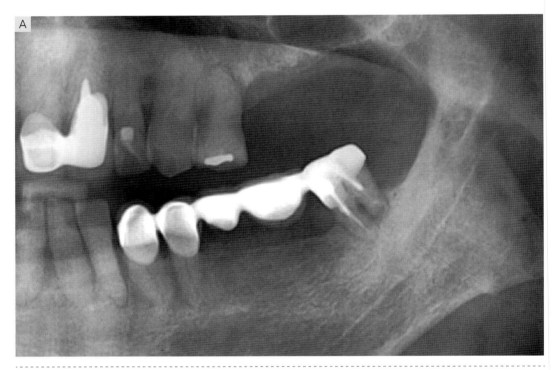

그림 9-6 A. 상악동저가 치조골 정상까지 접근해 있습니다.

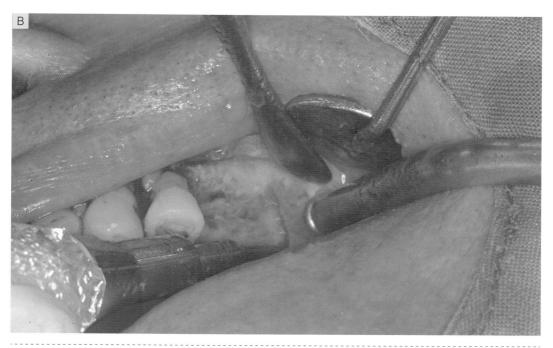

그림 9-6 B. 얇은 치조정을 통해 상악동저에 접근합니다.

그림 9-6 C. 합성골 이식재 준비.

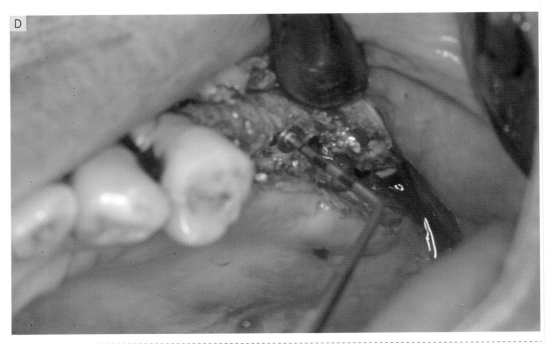

그림 9-6 D. 치조정으로부터 상악동막을 거상합니다.

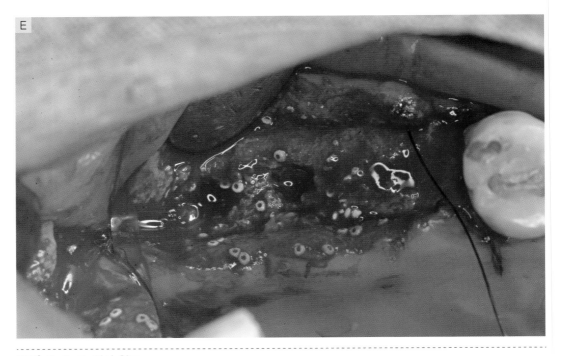

그림 9-6 E. 거상 완료

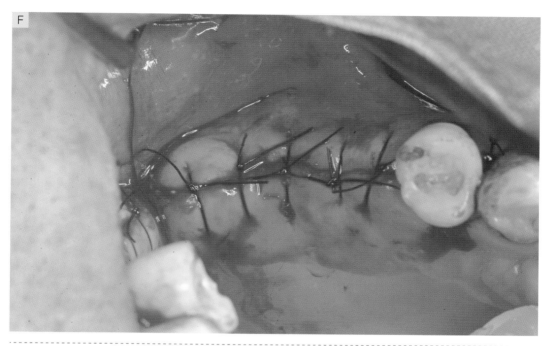

그림 9-6 F. 봉합.

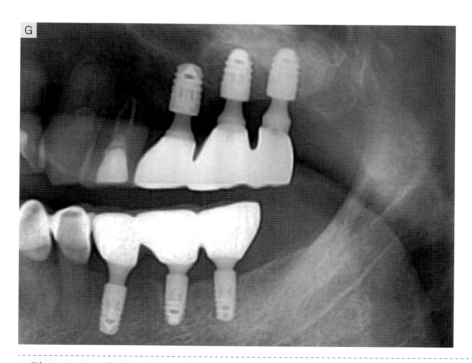

그림 9-6 G. 보철 후 방사선 사진.

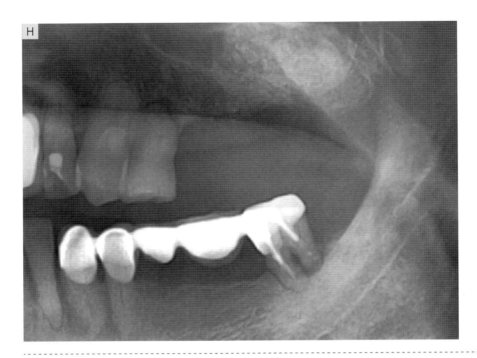

그림 9-6 H. 골이식 후 방사선 사진.

Simple Tips

그림 9-6. 보통의 경우라면 lateral approach로 하는 케이스겠지만 crestal approach로 문제가 없이 잘 되는 것을 확인할 수 있습니다. Lateral approach냐 crestal approach냐 하는 것은 술자의 편의상의 문제입니다. 상악동저가 치조정까지 바짝 내려와 있는 경우라면 오히려 crestal approach가 접근도 쉽고 더 편합니다.

② Lateral approach

1) 기구

골창을 만들기 위해서는 덴쳐바 형태의 드릴이나 라운드 다이아몬드 형태의 드릴을 사용할 수 있고 lateral approach 전용 세트를 사용할 수 있습니다.

골창이 형성된 다음 상악동 막을 들어 올리는 기구가 필요합니다.

종류가 하도 많아 어느 것이 좋다고 이야기 하기는 힘들고 어느 것이든 자기가 익숙하게 숙달 시키고 또 여력이 되면 기구들을 이것저것 써 보면서 장단점을 파악하는 것이 좋습니다.

그림 9-7 Lateral approach를 위한 드릴과 막의 거상을 위한 curette입니다.

221

2) 술식

⑴ 절개

수직 절개와 치조정 절개를 합니다. 수직 절개는 감염 방지를 위해 골창을 낼 부위에서 가능한 한 멀리 떨어지도록 하는 것이 좋으며 mucogingival junction을 지나 충분히 내립니다. 시야와 수술 부위 확보를 위한 만큼 충분히 합니다.

⑵ 골창의 형성 범위

골창의 범위는 안전한 거상을 위해 근원심으로는 식립하고자 하는 근원심 폭만큼 가는 것이 좋으며, 수직적으로는 상악동저 2~5 mm 위에서부터 식립 깊이 정도까지 하는 것이 좋습니다.

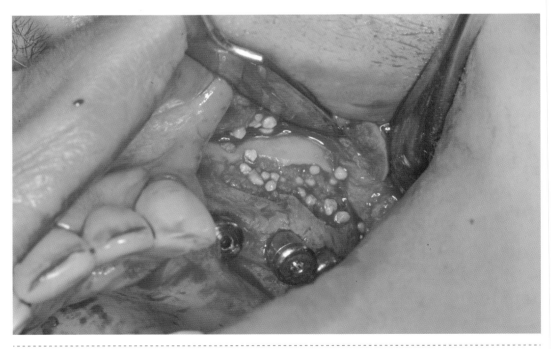

그림 9-8 수직 절개는 mucogingival junction을 넘어 충분히 하되 짧더라도 undermining retraction을 하면 더 큰 시야와 수술 부위 확보를 얻을 수 있습니다.
근원심으로 길게 골창을 형성하여서 막을 여러 곳에서 골고루 거상하기가 편합니다.

(3) 골창의 형성과 막의 거상

Safety drill로 조심스럽게 골 삭제를 해 가며 상악동 막이 보이기 시작하면 골창의 피질골을 막과 분리시킨 뒤 제거합니다.

막이 분리되기 시작하면 sinus curette를 사용하여 오목한 부분을 골면으로 향하게 하여 끝의 날로 바닥을 밀어 긁으며 막을 거상합니다. 근원심과 medial 방향으로 서서히 거상을 합니다.

특히 예리한 부분의 날로 근원심 방향으로의 동작을 조심합니다. Medial wall을 향해 밀어 올리듯이 들어가는 동작이 안전하며 좌우로 움직이며 거상하다 보면 천공이 일어나기 쉽습니다.

막이 천공되지 않았다면 숨쉴 때마다 막이 움직이는 것이 관찰됩니다. 막을 충분히 거상하지 않은 채 이식재를 무리하게 밀어 넣다 보면 천공이 일어나기 쉽습니다.

막을 충분히 거상한 다음 이식재는 passive하게 들어가도록 하는 것이 좋습니다.

Mesial과 distal 부분에 이식재가 잘 들어가도록 조심스럽게 밀어 넣습니다.

이식재를 채운 후 멤브레인의 사용은 자유이나 저자의 경우 필요치 않다는 것이 개인적인 경험입니다.

3) 성공을 위한 실제적인 제안 정리

분명한 것은 누구도 실패를 해보지 않고 잘 할 수는 없다는 것입니다. 실패를 경험해야 무엇을 조심해야 하는지 알게 되며 성공율을 더 높여 나갈 수 있습니다. 이 사실을 기억하는 것이 상악동 수술을 주저하는 분들에게 격려가 될 것입니다.

다만 좀더 안전하게 상악동 골이식술을 하기 위해 기억해야 할 포인트를 정리한다면 다음과 같습니다.

첫째: 골창의 크기를 충분히 크게 할 것

골창의 크기가 작으면 기구 조작도 어렵고 막의 거상을 대부분 멀리서 해야 하기 때문에 직접 보고 하는 부위가 적어져 안정성이 떨어집니다. 또 골창을 크게 한다고 해서 골재생에 나쁜 영향을 주는 것도 아닙니다.

둘째: 항상 뼈의 바닥을 긁으며 막을 거상할 것.

셋째: 이식재를 넣으면서 막을 거상하지 말고 먼저 막을 충분히 거상한 다음 passive하게 이식재를 넣을 것.

막을 거상한 다음 천공이 되지 않았다면 환자가 숨을 쉴 때마다 막이 움직입니다. 천공이 되지 않은 것을 확인한 상태에서 막은 medial, mesial, distal로 충분히 거상되어 있어야 합니다. 충분히 거상된 경우 이식재는 저항을 크게 받지 않고 잘 들어 갑니다. 이식재 역시 medial, mesial, distal로 골고루 들어가도록 넣습니다.

측방 접근법 역시 막이 천공되지 않았다면 이식재를 넣음에 따라 약간의 rebound되는 느낌을 받습니다. 만일 이 rebound 느낌이 없어지고 갑자기 이식재가 저항이 없이 들어가면 천공을 의심해 보아야 하며 방사선 촬영을 하여 이식재가 흩어져 보인다면 천공이 된 것입니다. 천공 부위가 커서 이식재가 사방으로 흩어져 보이면 지체하지 말고 가능한 한 모든 이식재를 제거해야 합니다. 흩어진 이식재는 코로 통하는 ostium을 막아 상악동염을 유발하기가 쉽습니다.

이식재를 넣었는데 더 이상의 이식재를 넣을 때 큰 저항이 느껴지면 무리하게 이식재를 밀어 넣으면 안 됩니다. 무리하게 넣다가 막이 터질 수 있기 때문입니다.

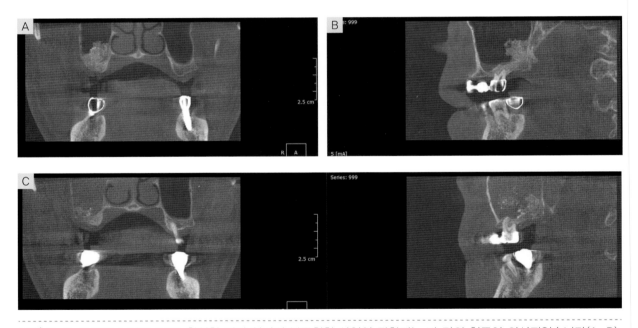

그림 9-9 이식재를 넣고 CT를 촬영한 결과 약간의 불규칙한 상연이 관찰되는 바 막의 천공이 의심되었습니다(A, B). 그러나 이식재가 막 흩어진 것은 아니었으므로 근심쪽으로 이식재를 좀더 넣으려고 이식재를 넣었습니다. 어느 순간 저항이 없어지며 이식재가 막 들어가기 시작하는데 이것이 바로 천공이 확실히 일어난 순간입니다. 이식재는 방사선 사진에서 보는 것처럼 다 흩어졌으며, 상악동은 blood로 채워져 radiopacity를 보입니다(C). 이 환자는 결국 오랫동안 상악동염으로 고생을 하였습니다. 이 경우 막을 충분히 거상하지 않고 이식재의 양을 무리하게 넣은 것이 원인입니다.

③ 상악동 골이식에 관한 질문들

1) 상악동 골이식술을 위한 최상의 골이식재는?

현재의 상악동 골이식술의 경향은 어떤 이식재가 좋으냐를 넘어 이식재를 쓰지 않고 상악동 골이식을 하는 단계에 이르렀습니다. 여러 가지 주장들이 임상의들을 혼돈에 빠지게 만들고 때로는 별 근거도 없이 많은 사람들이 하는 것을 습관적으로 하는 것이 현실입니다.

여러 연구들과 임상 경험을 종합해 보면 흡수가 빠르고 부피 유지가 불리한 demineralized 된 동종골만 아니면 어느 이식재나 그 결과에 큰 차이가 없다고 말할 수 있습니다. 4~9개월 사이에서는 이식재에 따라 골생성 속도가 차이가 날 수 있으나 9개월 정도가 지나면 이식재간에 골생성 양에 거의 차이가 없습니다. 속도를 조금 빠르게 하기 위해서는 자가골이나 동종골을 첨가하면 좋지만 부가적인 수술을 필요로 하거나 비용이 더 드는 단점이 있으므로 왠만한 경우 합성골만을 써도 무방합니다. 시중에 판매되는 합성골은 그 효과면에서 대동소이하다는 것이 저자의 경험입니다.

2) 상악동 골이식에 적당한 골이식재의 양은?

Crestal approach의 경우 0.25~0.5 cc를 lateral approach의 경우 2 cc 정도를 기준으로 적게 하든지 많이 하든지 상황에 따라 변화를 줍니다.

다른 부위의 골이식술의 결과와는 달리 상악동은 비교적 빠른 속도로 이식재를 흡수시키며 신생골이 형성되는데 그 정확한 이유는 밝혀져 있지 않습니다.

상악동막이 osteoprogenitor cell을 함유하고 있어 골생성에 관여하고 있다는 설이 하나의 이유가 됩니다.

또한 상악의 풍부한 혈관과 발치와와 비슷한 환경이 여러 bone wall에서의 혈관 성장을 가능하게 함으로 이식재의 빠른 흡수와 신생골 형성에 유리한 것이라 여겨지고 있습니다.

이러한 관점에서 볼 때 막의 거상 시 상악동의 medial wall까지 충분히 거상하는 것이 유리합니다(그림 9-10).

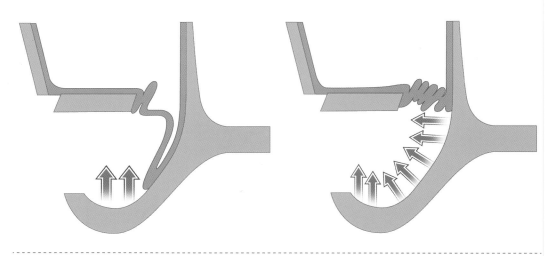

그림 9-10 뼈쪽으로부터 자라오는 신생 혈관의 침투의 기회가 많아야 골재생이 잘 이루어집니다. 좌측 그림과 같이 막이 충분히 거상이 안 되면 골재생의 기회가 적어집니다.

3) Lateral approach로 골이식술을 시행할 때 window에 membrane을 덮어 주어야 하나?

Lateral approach로 상악동 골이식술 후 window를 어떻게 처리할지에 대해서는 몇 가지 방법이 있습니다.

- Window를 만든 후 보존된 골편이 있다면 그 골편을 window에 다시 위치시키는 경우,
- Window에 흡수성 막을 위치시켜 덮는 경우
- Window에 비흡수성 막을 위치시켜 덮는 경우
- Window가 개방된 상태로 그 위에 바로 flap을 덮는 경우

로 생각할 수 있습니다.

최 등은 Resorbable membrane을 쓴 경우 anorganic bovine bone으로 채워진 상악동에서 연조직의 양은 상당히 감소시켰지만 신생골의 생성에는 영향을 미치지 않았다고 보고하였습니다.

반면 Tawil 등은 lateral approach의 osteotomy site에 resorbable membrane인 Bioguide를 위치시킨 경우 골재생의 질과 임플란트의 생존율이 증진되었다고 하였습니다.

Tarnow 등은 lateral window에 e-PTFE barrier membrane을 쓴 경우와 쓰지 않은 경우를 비교하였는데 쓴 경우에 신생골이 더 잘 생겼으며, 임플란트의 생존율에 긍정적인 영향을 미친다고 하였으며, 모든 상악동 골이식술에 membrane의 사용을 고려해야 한다고 하였습니다.

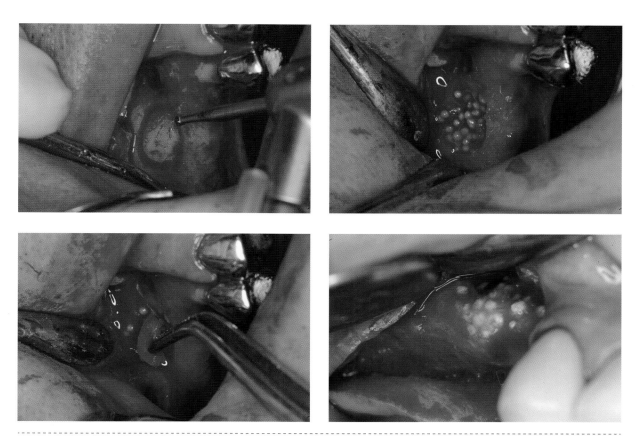

그림 9-11 임플란트 식립을 위해 판막을 거상하였을 때 창 위에 골벽은 흡수되어 없어지고 이식재가 골로 대체되지 않은 채 대부분 그대로 남아 있는 것을 볼 수 있습니다. 임상적으로는 분리되었다가 재위치시킨 자가골이 membrane으로서의 기능을 잘 한 것 같지 않은 인상을 줍니다.

이와 같은 차이를 임상에서 경험하여 확인하기는 쉽지 않습니다. 골재생 정도의 차이가 단순히 측방창을 어떻게 처리하느냐에만 달려 있는 것이 아니라 주위 기존 뼈로부터의 혈관 증식이 어떠냐에 따라서도 달라지기 때문인 것으로 생각됩니다. 저자의 경우 멤브레인을 쓸 필요가 없다는 것이 개인적인 경험입니다.

4) 상악동염, 점막이 비후(Mucosal thickening), 폴립 등이 있을 때 어떻게 해야 하나?

상악동염은 임상적으로 "typical triad"라 하여 코막힘, 병적인 분비나 막힘, 두통의 증상을 보이며 방사선 사진상에서도 상악동 내에 "air-fluid level"의 소견이나 "sinus opacification"(상악동 내부가 부은 점막으로 완전히 차서 방사선 사진에서 검게 보이지 않고 희게 보이는 것) 소견을 보입니다.

임플란트 환자가 내원했을 때 방사선 사진으로 점막의 비후나 폴립 등이 보이는 경우가 있습니다. 그러나 방사선 사진상으로 점막의 비후가 관찰된다고 해서 다 상악동염이 있는 것은 아닙니다. 완전히 상악동염의 증상이 없는 경우의 40%에서도 점막의 비후가 보이며 이들 중 80% 이상은 가벼운 감기인 경우입니다.

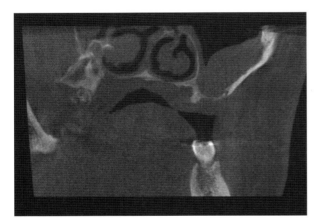
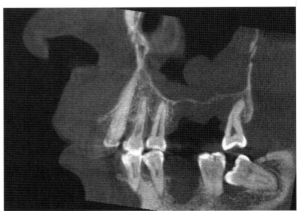
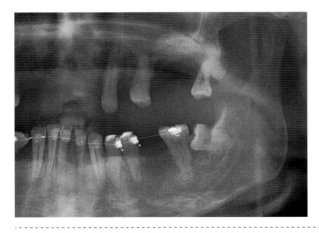

그림 9-12 술전에 상악동 점막의 비후와 폴립이 관찰됩니다. 상악동염의 임상 증상은 없었습니다. 감기가 걸려 있기는 하였지만 상태가 그리 나쁘지 않으므로 측방 접근법으로 상악동 골이식술을 시행하였습니다. 이 경우 점막이 두꺼우므로 오히려 천공의 가능성은 낮습니다.

Timmenga 등의 연구에 의하면 방사선 사진상으로 opacification이 관찰된다 하더라도 ostio-meatal unit에 이상이 없고 이비인후과적으로 관찰해 보았을 때 점막의 병적인 소견이 크지 않으며 다른 임상적 증상이 없다면 상악동 골이식술이 가능하다고 하였습니다.

5) PRGF, PRP, PRF는 상악동 골이식술에 도움이 될까?

상악동 골이식술에 PRGF(Plasma Rich in Growth factor), PRP(Platelet-Rich Plasma), PRF(Platelet Rich Fibrin) 방법을 이용하는 술식들이 소개되어 왔습니다. 이 방법들은 약간의 차이가 있기는 하나 공통적으로 치유 촉진과 골재생 효과 및 속도의 증대 등을 목적으로 시도되었습니다. 그러나 이들 방법의 추가로 정말 상악동 골이식술 시 도움이 된다는 명확한 증거는 아직까지 없습니다.

다만 이식재와 함께 섞을 경우 이식재의 흩어짐이 줄고 한 덩어리로 뭉쳐 있을 수 있기 때문에, 혹 상악동막이 천공되었다 할지라도 이식재가 흩어져 빠져 나갈 가능성은 줄일 수 있다는 면에서는 도움을 줄 수 있다고 생각됩니다.

6) Lateral approach 실패 시 대처 방법은?

⑴ 이식 전 천공

천공이 발생할 때 작은 천공은 콜라겐 멤브레인으로 천공 부위를 막고 수술을 계속 할 수 있으며 천공이 클 때는 역시 재수술을 기약합니다.

⑵ 이식 시 천공

막을 충분히 거상하지 않은 상태에서 이식재를 무리하게 넣지 않습니다. 이식재를 넣으며 거상하는 것은 결국 blind technique이 되며 lateral approach로 하는 의미가 없어지는 셈이 됩니다. 막을 충분히 거상한 상태에서 passive 하게 이식재를 넣으면 실패의 가능성은 거의 없습니다. 만일 이식재를 넣는 중에 천공이 발생한다면 이식재를 제거하고 다음을 기약해야 합니다. 치유 기간은 길게는 9개월로 보는 사람들도 있으나 상태에 따라 3~6개월로 보는 것이 저자의 경험입니다.

(3) 감염

또 다른 실패이유는 감염입니다. 감염은 오염된 이식재가 오스티움을 막거나 상악동 내에서 감염을 일으키는 경우 또는 구강 내의 노출된 곳을 통해 구강 내 세균이 감염을 일으키는 경우입니다.

수직 절개는 골창과 가능한 한 멀리 떨어진 곳에서 가하여 절개 부위로의 세균 침입 기회를 줄이며 구강 위생을 철저히 하도록 교육해야 합니다. 어떤 경우든 이식재를 넣은 후 감염이 된 경우 재수술을 통해 이식재를 제거하고 항생제를 투여합니다.

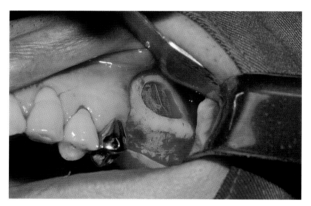
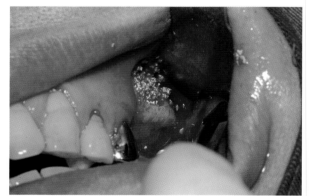
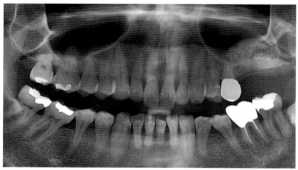

그림 9-13 상악동 골이식 수술이 잘 되었습니다.

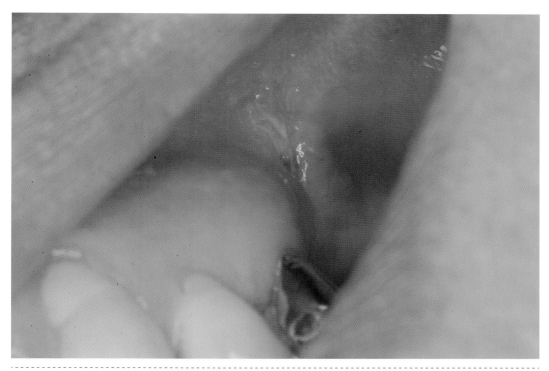

그림 9-14 수술 후 3주가 지나서 절개 부위로 완전히 닫히지 않은 작은 연조직 구멍이 보입니다.

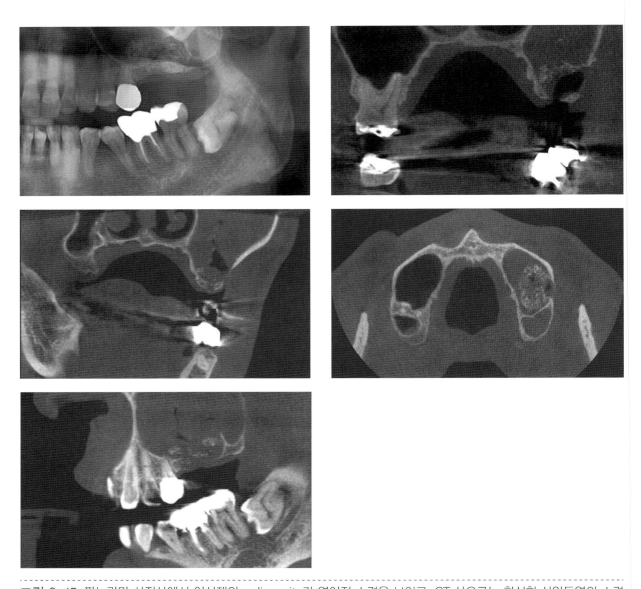

그림 9-15 파노라마 사진상에서 이식재의 radiopacity가 엷어진 소견을 보이고, CT 상으로는 확실한 상악동염의 소견을 보입니다. 막이 천공되지 않았지만 외부 구강위생 소홀과 봉합 소홀로 구강 내에 감염이 되었습니다. 수직 절개선을 골창과 좀더 멀리 했었으면 구강 위생이 다소 소홀하다 해도 감염 가능성을 줄었을 것입니다.

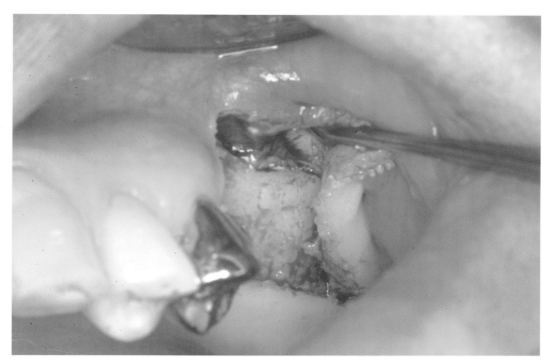

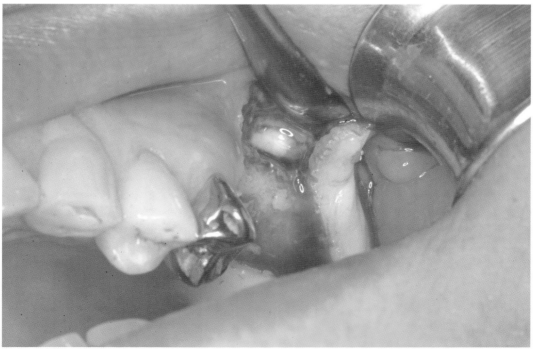

그림 9-16 수술 부위를 다시 열었을 때 노란 pus가 밖으로 흘러 나옵니다. 안에 있는 남은 이식재와 염증 조직을 제거합니다.

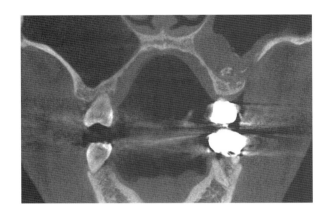

그림 9-17 이식재 제거 후 2개월 사진입니다. 항생제도 1달 정도 투여합니다. 제거되지 못한 이식재가 일부 남아 있으나 점막의 염증은 많이 가라앉았습니다.

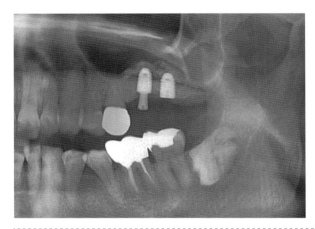
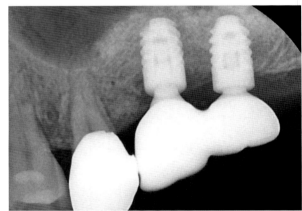

그림 9-18 상악동 골이식술을 다시 시행하여 보철까지 마무리하였습니다.

7) 막이 천공되면 반드시 상악동염이 발생하나?

상악동막이 천공된다고 해서 반드시 상악동염이 발생하는 것은 아니며 천공된 것을 확인하고 이식재를 아예 넣지 않고 다시 닫아 버린다면 상악동염의 발생 위험은 거의 없습니다. 어떤 경우는 막이 천공되고 이식재를 넣었을 때 이식재가 ostium을 통하여 아예 다 빠져 나와 버리고는 별 문제 없이 지나가기도 합니다.

8) 상악동염 발생 시 처치는?

(1) 상악동염의 pathophysiology

상악동염에는 급성, 만성 상악동염이 있으며 상악동염이라 하면 코와 부비동의 점막에 생긴 염증을 말합니다. 호흡기 점막에 생긴 염증이라는 면에서는 상기도 감염성 질환인 감기와 비슷하다고도 할 수 있고, 또 실제 감기가 걸렸을 때 상악동 등 부비동에도 염증이 올 수 있으나, 보통은 상기도염과는 별개로 상악동, 전두동, 전방사골동의 소공(小孔, ostium)들을 포함하는 ostiomeatal unit에 문제가 생겨 막히게 되어 부비동에 염증이 오는 것이므로 감기와는 구별이 됩니다. 급성 상악동염의 원인으로는 급성 비염이라던지 이물질, 치성 염증의 파급, 골절 등을 들 수 있습니다.

상악동 골이식 시 상악동염은 감염된 이식재라든지 이식재에 의한 ostium의 폐쇄가 원인이라 할 수 있습니다.

건강상태에서의 상악동은 상악동 점막에서 만들어내는 점액과 상악동 점막의 mucocilliary movement(1초에 30번 정도 움직인다고 함)로 세균이나 먼지를 포획하여 ostium을 통하여 코로 내보내고 이것이 식도를 넘어가 배설하는 과정을 통해 흡입된 공기의 정화작용을 하며 상악동 내는 항상 asceptic한 상태로 유지됩니다. 그러나 어떠한 이유로 해서 ostium이 blockage가 되고 mucociliary movement가 손상 받게 되면 상악동은 감염에 취약하게 되어 상악동염을 일으키게 되는 것입니다.

상악동막의 천공 시 이식재가 상악동 내로 들어가게 되면 그 양이 많지 않을 경우 이러한 mucociliary movement에 의해 이식재는 ostium을 통해 코로 배출되며, 그 양이 작아 모두 배출된다면 큰 문제를 일으키지 않을 수도 있습니다.

이식재의 양이 많다면 이러한 이식재는 ostium으로 배출되려 하다가 좁은 ostium을 막기 쉽고 ostium이 막히게 되면 상악동염이 걸리게 될 위험이 매우 높아지게 되는 것입니다.

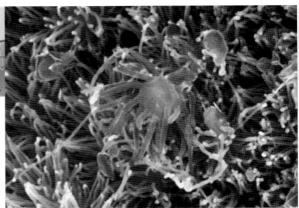

그림 9-19 상악동 점막의 mucociliary movement를 보여주는 사진입니다. 오른쪽은 상악동 점막 위에 세균을 포획된 모습입니다.

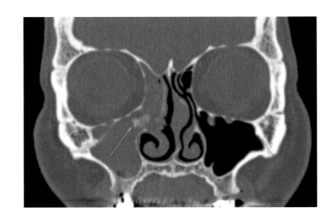

그림 9-20 Ostium을 막고 있는 이식재가 보입니다. 막힌 쪽의 상악동과 완와 옆의 사골동 및 인접 코 점막 부위에 radiopacity를 보입니다. Mucociliary movement에 의해 이식재를 ostium으로 밀어 내는 과정에서 이식재가 ostium을 막고 상악동염을 일으킨 것으로 추정됩니다.

증상은 급성으로 올 경우 열이나 전신 피로감 등 감기와 비슷한 증상을 보이기도 하며 안면부의 종창, 화농성의 삼출액이 코로 나옵니다. 진전이 되면 사골동을 비롯해 전두동 등 인접 부비동으로 전파되며 두통을 유발하기도 합니다.

일반적으로 부비동염의 임상적 진단 기준은 노란 코가 2주 이상 나오면 부비동염으로 진단을 내립니다.

상악동염의 치료는 약물치료와 수술로 나눌 수 있습니다.

(2) 약물치료

만일 골이식재가 다량 상악동 내에 있는 상태에서 상악동염이 발생했다면 수술 부위를 다시 열고 들어가 이식재를 제거해야 합니다. 남은 이식재는 지속적인 감염원으로 작용하기 때문입니다. 이식재를 제거한 후 항생제를 기본으로 1~2주간 투여하며 증상이 없어지지 않을 경우 2~3달까지도 장기 투여할 수 있습니다.

환자에게 많은 경우에 약물치료만으로도 완치될 수 있음을 이야기하고, 만일 약물치료로 계속 호전이 되지 않을 경우 이비인후과에 의뢰할 것을 이야기합니다.

　처방: 오그멘틴(항생제) 1 T(1 g) tid

　　　　슈다페드(비점막 수축제) 1 T tid

　약물치료는 항생제와 decongestant를 씁니다. Decongestant는 mucosal edema를 감소시켜 drainage를 증가시킬 목적으로 사용하며 rebound vasodilation 때문에 3일 이상 쓰지는 않습니다.

　상악동염 치료에 가장 널리 쓰이는 항생제는 Augmentin이며, amoxicillin의 일종이고 내성균을 더 잡아내기 위해 clavulanic acid를 첨가한 약제입니다.

　과거에는 상악동염의 수술적 치료로 상악동 골벽을 깨고 점막을 제거하는 부비동 근치술이 주류를 이루었습니다. 이 수술은 정상 상악동 점막을 모두 제거하는데 상악동이 오히려 fibrous한 점막으로 덮이게 됨으로서 오히려 재발의 위험을 높이게 될 수 있습니다. 또한 중력의 작용대로 drainage를 잘 하게 해 준다는 개념으로 인공적으로 하비도 부분에 antrostomy를 해 주는데, 실은 상악동 점막 고유의 섬모운동 방향은 원래의 중비도 부분의 natural ostium 부분을 향하므로 이 역시 효과가 없고, 중비도 부분의 natural ostium은 건드리지도 않고 막힌 상태로 그대로 두기 때문에 오히려 재발의 가능성만 높일 뿐입니다.

　근래에 와서는 내시경을 이용한 상악동 수술(FESS: Functional Endoscopic Sinus Surgery)이 주류를 이루고 있습니다. 근래에 와서 상악동염의 치료 목적은 상악동막 제거가 아니라 통기(aeration)와 배출(drainage)을 원활하게 해 주는 것이므로 건전한 상악동막을 남겨둔 채 내시경을 이용하여 중비도의 natural ostium으로의 통기와 배출을 원활하게 해 주는 수술을 하는 것입니다. 약물치료로 되지 않는 상악동염은 FESS로 대부분 치료가 되는 것으로 알려져 있으며 점막을 제거하지 않으므로 치유기간도 단축되고 재발율도 적으며 국소 마취만으로도 가능한 장점이 있습니다.

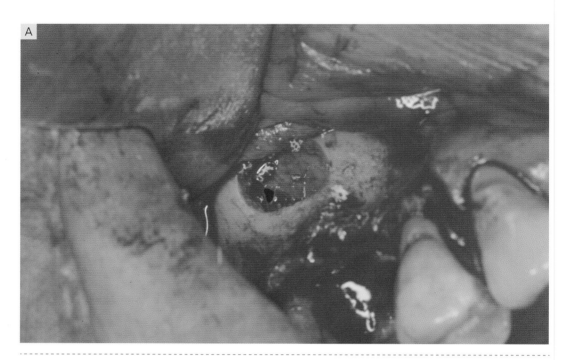

그림 9-21 A. 상악동 막의 천공

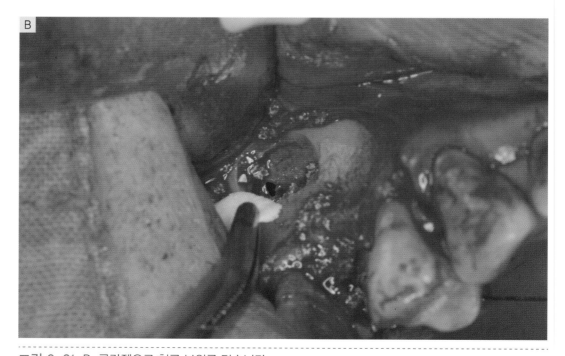

그림 9-21 B. 콜라젠으로 천공 부위를 덮습니다.

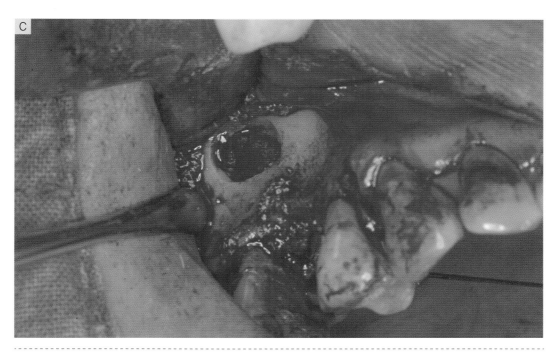

그림 9-21 C. 콜라젠으로 덮은 상태.

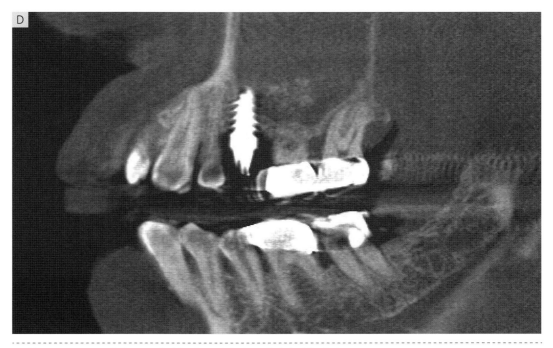

그림 9-21 D. 콜라젠으로 덮었음에도 이식재는 빠져나갔습니다.

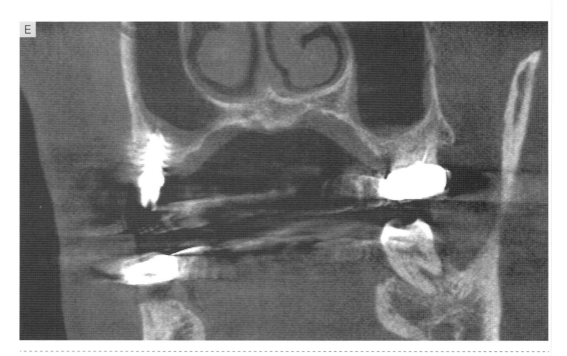

그림 9-21 E. 4개월이 지나 상악동의 opacification은 사라졌습니다. 특별한 약물처치는 없었습니다.

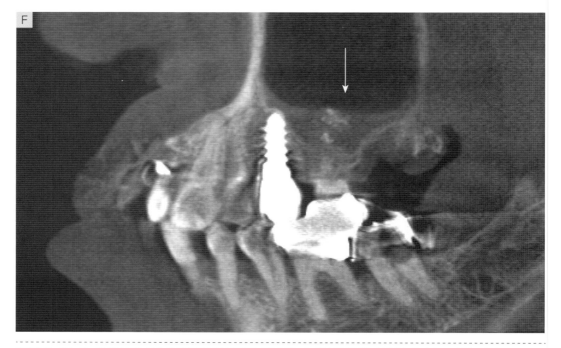

그림 9-21 F. 8년이 지나서 흩어졌던 이식재가 바닥에 가라앉아 골화되어 안정적으로 있습니다.

Simple Tips

그림 9-21. 상악동막이 천공되어 콜라젠 멤브레인을 대고 골 이식술을 시행하였으나 이식재는 천공된 곳을 뚫고 새어 나간 것을 볼 수 있습니다. 그러나 이식재가 전 상악동에 걸쳐 흩어지지 않고 혈액도 상악동에 다 차지 않고 아랫 부분에 머물러 있는 것을 볼 수 있습니다. 그러나 얼마 후 수술한 쪽의 전체 상악동은 방사선 사진상 전체적인 opacification을 보입니다. 이로부터 4개월 후 상악동의 opacification은 사라지고 약간의 점막이 두꺼워진 정도의 정상 소견을 보입니다. 그 동안 상악동염의 증상은 없었습니다. 한쪽으로 빠져 나간 이식재(화살표)는 8년이 지난 현재 오히려 골화되어 있는 소견을 보이고 어느 지점에서는 하연의 골과 연결되어 보이기도 합니다. 아마도 많은 양의 이식재가 들어가지 않았고 또 환자의 호흡기 건강 상태가 좋았기 때문에 큰 문제를 일으키지 않고 치유가 되었다고 판단됩니다. 골재생은 임플란트 주위에 거의 이루어지지 않았고 애초에 6~8 mm 정도가 뼈와 접촉하는 것만으로 훌륭히 기능을 하고 있습니다. 8년이 지난 지금 임플란트는 깨끗하게 잘 기능하고 있습니다.

4 골이식재 없는 상악동 골재생술

상악동 골이식술의 어려움 중 가장 큰 것은 상악동염의 발생 가능성입니다. 경우에 따라서는 심각한 지경에 이를 수 있다는 부담이 항상 치과의사들의 마음에 따라 다닙니다. 만일 골이식재 없이 가능하다면 상악동 수술 후 상악동염의 염려에서 치과의사들을 해방시켜 줄 것입니다.

많은 연구와 논문을 통해 골이식재 없는 상악동 골재생술이 점차 확대되고 있습니다. 공간만 유지된다면 blood로 차 있는 공간은 뼈쪽에서 자라 들어온 혈관화와 더불어 골재생이 일어난다는 것은 여러 연구에서나 임상적 경험에서 확증된 것입니다.

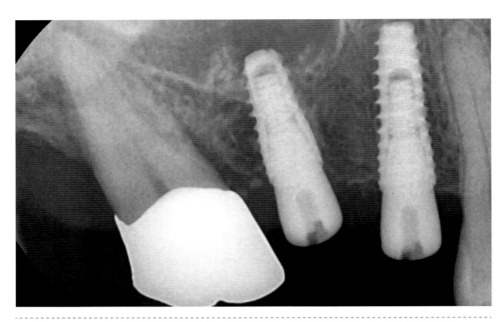

그림 9-22 A. 정수압을 이용하여 상악동을 거상하고 합성골 이식재를 소량 넣었습니다.

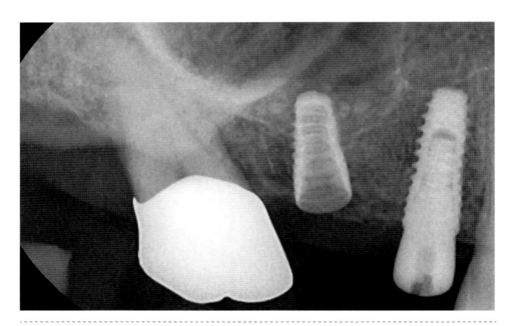

그림 9-22 B. 이식재가 주위 거상되었던 공간으로 흩어지고 blood로 찼던 부분이 골화되는 소견을 보입니다. 이것은 이식재가 있었던 곳 뿐 아니라 주위 거상되어 blood가 찼던 부분에 골화되어 진행되고 있는 것을 보여 주며 이식재 없이도 골화가 일어날 수 있다는 것을 보여 줍니다.

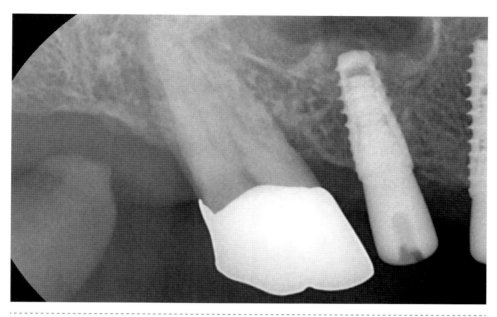

그림 9-22 C. 수술 3개월 후

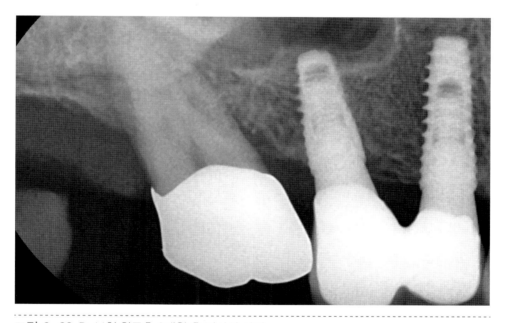

그림 9-22 D. 보철 완료후 6개월 후 방사선 사진

Simple Tips

그림 9-22. 3개월후 인상 채득 시 방사선 사진입니다. 일반 골재생술의 경우와 달리 빠른 시간에 골화된 소견이 보입니다.
골이식재를 최소화하고 나머지 blood clot으로 공간을 채운 결과라고 생각됩니다.

243

⑤ 상악동 골이식술 시 임플란트 식립과 보철 프로토콜

Grafted sinus에서의 보철 protocol은 제시의 폭이 다양합니다. 많은 논문이나 임상가들이 동의하는 기간은 잔존골이 적은 경우 수술 후 5~9개월 후에 식립 내지 보철을 하는 것에 수렴이 되어 있습니다.

동시 식립의 경우 4~6개월 후에 보철, 지연 식립의 경우 5~9개월 후 임플란트 식립 그리고 이후 4~6개월 후에 보철을 하는 안정적인 protocol이라고 할 수 있습니다. 그 외 방사선 사진과 ISQ(Implant Stability Quatient)를 측정하는 방법을 통해 loading 시기를 결정하면 더욱 안정된 loading 시기를 결정할 수 있습니다.

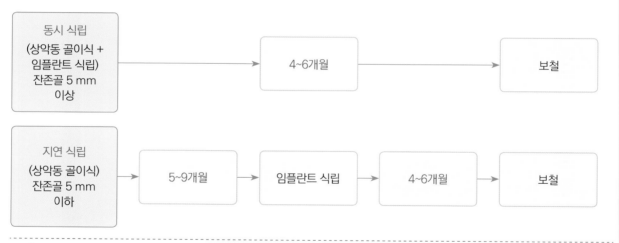

그림 9-23 상악동 골이식술을 통한 임플란트 식립 및 보철의 프로토콜

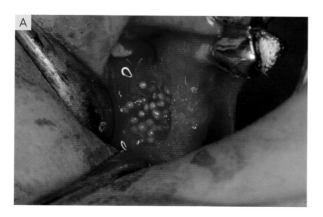
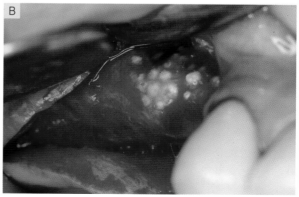

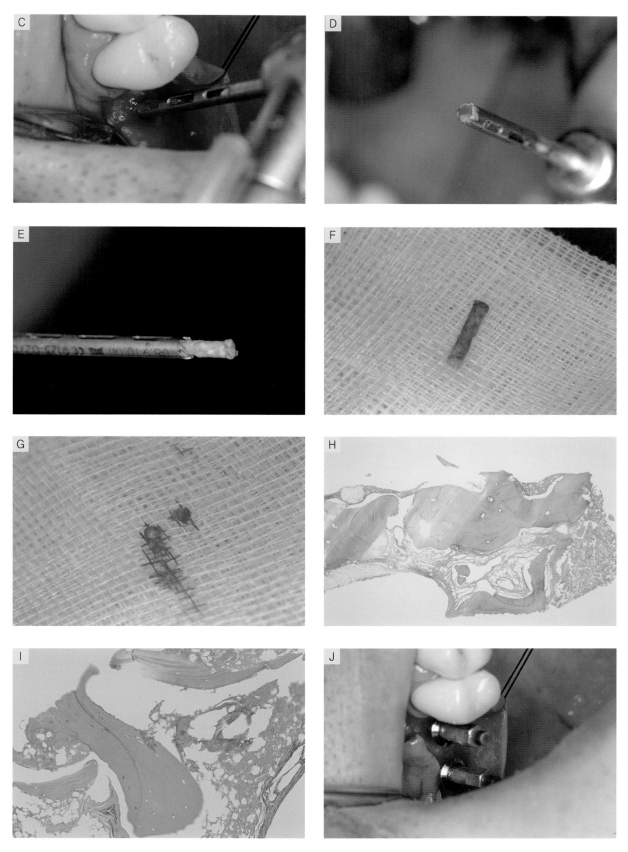

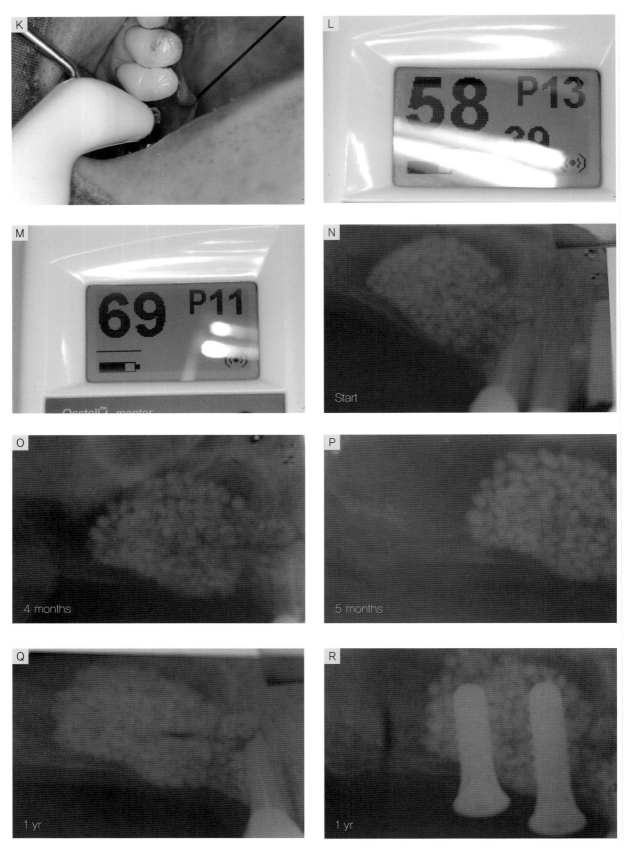

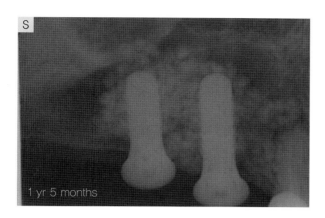

그림 9-24 1년 경과 후 방사선 사진보다 더 많은 부분에 뼈가 생성되었음을 알 수 있습니다.

Simple Tips

그림 9-25. 이식재가 시간이 경과하며 방사선 사진상에서, 또 조직 사진상에서 어떻게 뼈로 바뀌어 가는가는 임상적으로 리뷰하는 것은 loading protocol을 세우는데 도움이 됩니다.
1년 경과 후 임플란트를 식립하며 조직을 채취했을 때 방사선 사진에서 추측할 수 있는 것보다 더 많은 부분에 뼈가 생성되었음을 확인할 수 있습니다.

References

- Choi et al: The effects of resorbable membrane on human maxillary sinus graft: a pilot study. Int J Oral Maxillofad Implants 2009 Jan-Feb;24(1):73-80.

- Tawil et al: Sinus floor elevation using a bovine bone mineral (Bio-Oss) with or without the concomitant use of a bilayered collagen barrier (Bio-Gide): a clinical report of immediate and delayed implant placement. Int J Oral Maxillofac Implants. 2001 Sep-Oct;16(5):713-21.

- Tarnow et al:Histologic and clinical comparison of bilateral sinus floor elevations with and without barrier membrane placement in 12 patients: Part 3 of an ongoing prospective study. Int J Periodontics Restorative Dent. 2000 Apr;20(2):117-25.

- Timmenga NM, Raghoebar GM, van Weissenbruch R, VissinkA. Maxillary sinus floor elevation surgery Clin.OralImpl.Res, 14, 2003; 322-328.

- Klongnoi B, Rupprecht S, Kessler P, Thorwarth M, Wiltfang J, Schlegel KA. Influence of platelet-rich plasma on a bioglass and autogenous bone in sinusaugmentation. An explorative study. Clin. Oral Impl. Res. 17, 2006; 312–320.

- Joseph Choukroun et al. Platelet-rich fibrin (PRF): A second-generation platelet concentrate. Part V: Histologic evaluations of PRF effects on bone allograftmaturation in sinus lift Oral Surg Oral Med Oral Pathol Oral Radiol Endod 2006;101:299-303.

- Stricker A, Voss PJ, Gutwald R, Schramm A, Schmelzeisen R. Maxillary sinus floor augmention with autogenous bone grafts to enable placement of SLA-surfaced implants: preliminary results after 15–40 months Clin. Oral Impl. Res, 14, 2003; 207–212.

- Jörg Handschel, Melani Simonowska, Christian Naujoks, Rita A Depprich, Michelle A Ommerborn, Ulrich Meyer, and Norbert R Kübler: A histomorphometric meta-analysis of sinus elevation with various grafting materials, Head Face Med. 2009; 5: 12.

- Friedmann, Anton; Dard, Michel; Kleber, Bernd-Michael; Bernimoulin, Jean-Pierre; Bosshardt, Dieter D.:augmentation and maxillary sinus grafting with a biphasic calcium phosphate: histologic and histomorphometric observations, Clinical Oral Implants Research, 20:708-714.

- Joseph Choukroun et al. Platelet-rich fibrin (PRF): A second-generation platelet concentrate. Part V: Histologic evaluations of PRF effects on bone allograftmaturation in sinus lift Oral Surg Oral Med Oral Pathol Oral Radiol Endod 2006;101:299-303. explorative study. Clin. Oral Impl. Res. 17, 2006; 312–320

- Joseph Choukroun et al. Platelet-rich fibrin (PRF): A second-generation platelet concentrate.Part V: Histologic evaluations of PRF effects on bone allograftmaturation in sinus lift Oral Surg Oral Med Oral Pathol Oral Radiol Endod 2006;101:299-303.

CHAPTER 10

임플란트는 굵고
길어야 하나?

SIMPLE
IMPLANT
WITHOUT
GBR

1. 가는 임플란트의 사용
2. 짧은 임플란트의 사용

단정배의
ECES
Concept & Technique

Evidence Based

Clinically Oriented

Experience Approved

Simplified

① 가는 임플란트의 사용

전통적으로 임플란트는 교합력에 대한 염려 때문에 가능하면 여러 개의 임플란트를 함께 묶고 또 가능하면 굵은 임플란트를 심을수록 좋다는 생각이 지배해왔습니다.

저도 한 때 굵은 임플란트를 심고 나면 뭔지 모르게 마음이 든든하게 여겨졌던 시절이 있었습니다.

그러나 필요 이상의 굵은 임플란트는 생각 외로 불리한 점이 많이 있습니다.

하악 구치부의 경우 좁은 부착 치은을 가진 경우가 많은데 이때 굵은 임플란트를 심으면 부착 치은의 폭이 더욱 줄어 들어 장기 예후에 좋지 않습니다.

또 하악의 경우 대부분 협측의 뼈가 부족한 경우가 많이 있는데 보철적으로 좋은 위치에 임플란트를 식립하다 보면 임플란트 협측의 뼈가 얇아지게 되는 경우가 많이 있습니다. 이런 경우 넓은 직경의 임플란트를 식립할수록 협측골은 얇아지기가 더 쉬우며 임플란트의 장기 예후는 더 나빠집니다.

임플란트의 장기 예후에 중요한 요소는 임플란트 주위의 뼈와 부착 치은의 상태입니다.

치아는 치근막의 풍부한 혈액 공급으로 말미암아 치근 주위에 아주 얇은 치조골판이 있어도 비교적 안정적으로 흡수되지 않고 유지될 수 있지만, 임플란트는 치아에 비해 치근막으로 부터의 혈관 공급이 없으므로 약간의 염증으로도 흡수될 수 있습니다. 이런 의미에서 볼 때 임플란트 주위, 특히 협측의 뼈의 양은 장기 예후에 매우 중요합니다.

굵은 임플란트를 심어 협측의 뼈를 얇게 하기 보다는 차라리 그보다 가느다란 임플란트를 심고 협측의 뼈를 풍부하게 보존하는 것이 장기 예후에 유리할 수 있습니다.

구치부에 single standing에 어느 직경과 어느 정도 길이의 임플란트가 적정한가가 중요한 기준이 됩니다.

대부분의 회사에서 4.5 mm 직경과 10 mm 길이의 임플란트를 구치부 single standing으로 많이 추천하고 있으나, 사실 엄밀히 말해서 그 이하 직경과 그 이하 길이의 임플란트에 대해서 모든 임상 데이터를 정확히 가지고 있는 것은 아닙니다. 또 실험실적 조건하에서 많은 시뮬레이션을 한다고 해도 정확히 구강내 상황을 재현할 수 있는 것은 아니며 그런 조건하에서 나온 결과로서 모든 임상 상황을 제한할 수도 없습니다.

가느다란 임플란트의 임상적 가능성에 대해 insight를 가지게 된 것은 여러 문헌의 제시도 있겠으나 1995년쯤이었다고 생각되는데 미국에서 임플란트를 하고 왔다는 어느 환자분의 케이스를 경험하게 된 것이 그 기회였습니다.

당시 보철물이 떨어져서 저에게 온 환자였는데 상악에 6~8개 정도의 one body 임플란트가 심어져 있었습니다. 직경은 3 mm를 넘어 보이지 않았는데 엄청 짱짱하게 14 unit의 PFM bridge를 잘 받쳐 주고 있었습니다.

만일 가느다란 임플란트나 짧은 임플란트를 임상에서 잘 사용할 수 있다면 환자에게나 의사에게나 복잡한 술식을 피하고 편안하고 안전하고 쾌적한 치료를 할 수 있을 것입니다.

조심스럽기는 하지만 가늘거나 짧은 임플란트의 활용 범위를 늘려 나감으로서 복잡한 술식을 줄이고 simple하고 안전하고 쾌적한 임플란트 시술의 범위가 넓어질 수 있습니다.

가느다란 임플란트는 보통 3 mm 이하의 임플란트를 말하며 구치부에서 쓸 경우 여러 개를 함께 묶는다면 보다 안정적으로 사용할 수 있습니다. 생역학적으로 회전 및 측방력에 유리하도록 가능한한 일직선을 피해 심는다는 느낌으로 식립하는 것이 좋으며, 상실된 치아의 갯수보다 조금 더 갯수를 늘리는 것도 안정성을 높이는 한 방법이겠습니다.

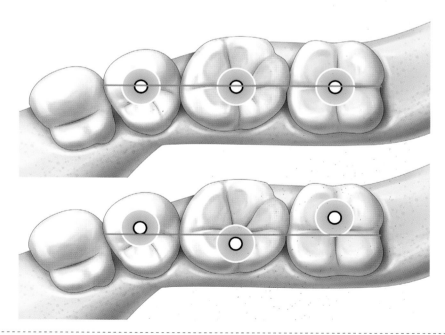

그림 10-1 서로 다른 선상의 3 임플란트는 역학적으로 하나의 임플란트가 견딜 수 있는 힘의 3배가 아닌 그 이상의 힘을 효과적으로 버틸 수 있습니다.

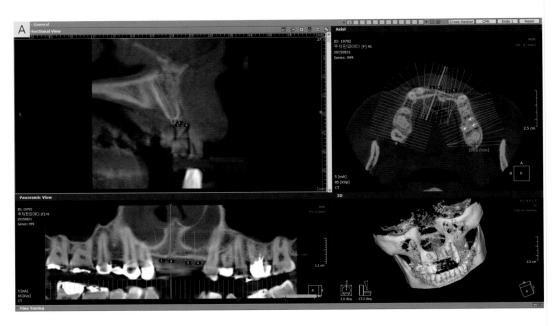

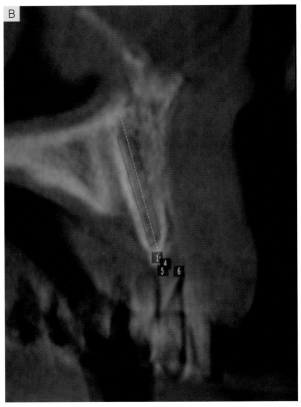

그림 10-2 A, B. 3.5 mm 이상 임플란트를 골이식 없이는 심기 힘든 상황입니다.

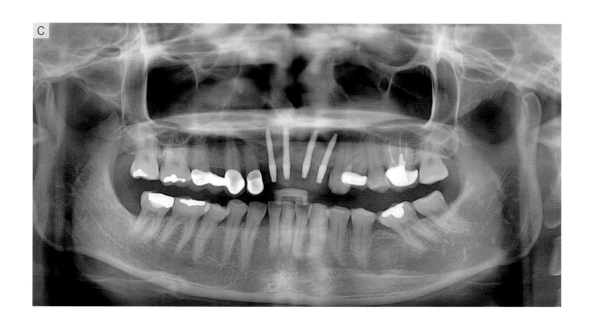

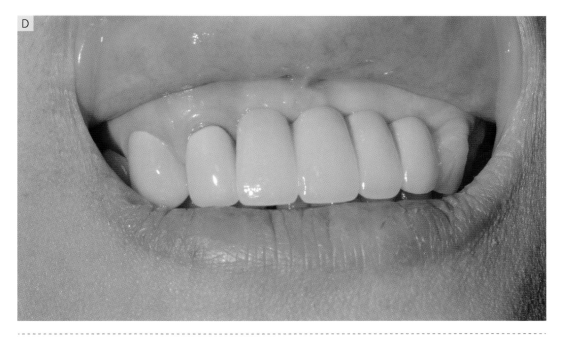

그림 10-2 C, D. 2.3 mm 직경의 임플란트 4개를 사용하여 골 이식 없이 simple, easy, comfortable 임플란트 수술을 시행하였습니다.

CASE 2

Narrow 임플란트 CASE 2

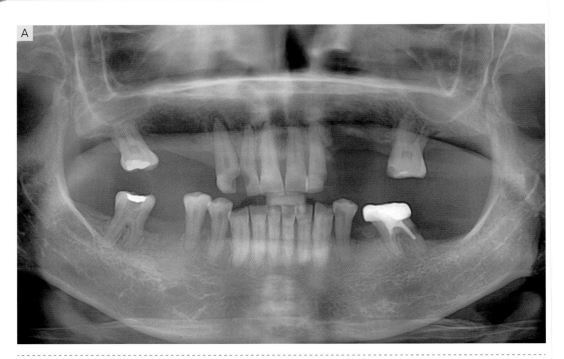

그림 10-3 A. 술전 방사선 사진입니다.

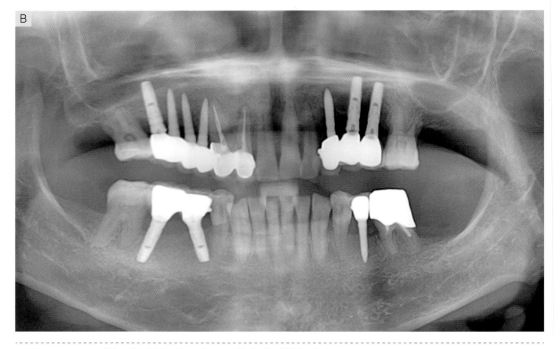

그림 10-3 B. 부분 부분 얇은 임플란트를 여러 개 심었습니다.

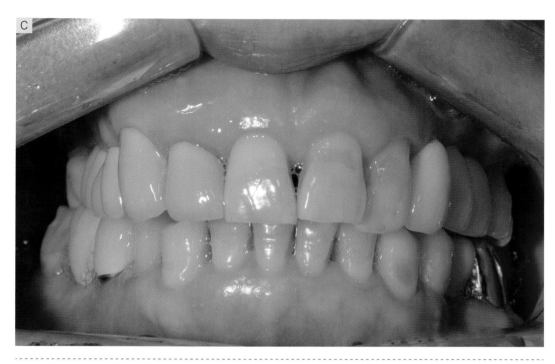

그림 10-3 C. 여자환자로서 교합력이 세지 않아 안정적으로 기능하고 있습니다.

Simple Tips

그림 10-3. 복잡한 골이식을 하기 힘든 전신적으로 약한 환자입니다. 임플란트의 개수를 늘이고 regular type의 임플란트와 적절히 섞어서 치료를 완료하였습니다. 물론 장기적인 예후는 두고 봐야 하겠으나 narrow implant가 망가질 경우 제거하기도 쉽고 망가진 부분이 있으면 조금 기다렸다 인접 뼈 있는 부분에 다시 narrow implant를 심어준다는 마음을 가지면 그리 초조하지는 않습니다. 골융합 된 것이 1년 동안 문제가 없다면 장기적인 예후는 어느 정도 가능해 볼 수 있습니다.

CASE 3

Narrow 임플란트 CASE 3

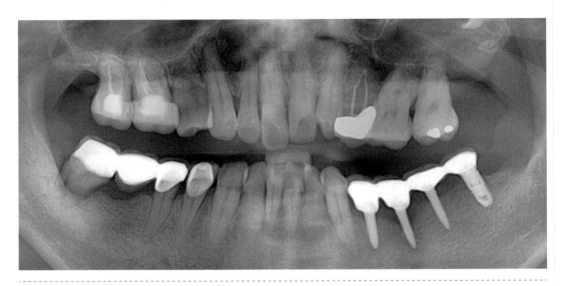

그림 10-4 입을 오래 벌릴 수 없어 스케일링도 못 받는 환자입니다. 이런 분에게 오래 걸리는 골이식을 하기는 힘듭니다. 교합력도 세 보이지 않습니다. Narrow implant의 선택에 있어 환자의 교합력의 임상적 판단은 중요한 판단 요소가 됩니다. 골격과 안면의 임상적 평가 교합면의 상태 등으로 교합력이 임상적 평가를 할 수 있습니다. 얼굴이 갸름한가? 사각턱인가? Mandibular angle이 큰가?(큰 사람은 교합력이 약함), 여자인가? 남자인가? 나이가 많은가? 적은가? 교합면의 마모상태는 어떤가? 등을 평가하면 도움이 됩니다.

CASE 4

Narrow 임플란트 CASE 4

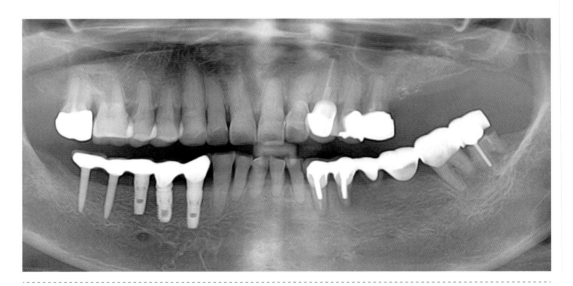

그림 10-5 후방 대구치 부분이 조금 불안해 보이지만, 임플란트 5개를 묶은 역학적 이점에 기대를 걸어 봅니다. 또한 환자가 60대를 넘긴 여성이란 점이 narrow implant의 장기 생존에 기대를 높여 줍니다.

② 짧은 임플란트의 사용

임플란트에 관한 다수의 원칙들에 있어서 임플란트 개발 초기에 확립된 프로토콜이 그대로 내려오는 경우가 많이 있습니다.

10 mm 이상의 임플란트가 안전하며 그 이하의 임플란트는 위험하다는 것이 그 중의 하나입니다.

사실 어떤 직경에서 어떤 길이의 임플란트가 교합력에 견딜 수 있는가에 대한 결론은 임상적으로 다수의 long term data없이는 정확히 말하기 힘듭니다. 그러나 예를 들어, 길이가 5 mm인 임플란트에 대해 생각해 봅시다. 5 mm 길이인 임플란트는 안 된다는 확실한 검증이 된 것일까요? 실험적인 조건으로 구강 내와 똑같은 조건을 재현할 수 있을까요?

임플란트의 안전한 길이는 10 mm 이상이어야 한다는 원칙에 갇혀, 신경 침범이나 상악동염 같은 큰 부작용을 겪게 된 면은 없나 생각해 볼 필요가 있습니다.

임상적으로 경험할 수 있는 것은 periimplantitis로 임플란트를 제거하게 된 경우 골융합된 부분이 불과 3~4 mm 밖에 되지 않는데도 매우 강한 골융합으로 trephine bur 없이는 제거하기 힘들다는 것입니다. 이런 경험들을 통해 우리는 짧은 임플란트의 가능성을 생각하게 됩니다. 뿐만 아니라 많은 연구자들이 이미 오래 전부터 짧은 임플란트의 사용에 대해서는 적지 않은 연구를 해 온 것이 사실입니다. 여러 연구와 임상 경험을 통해 볼 때 소위 standard implant의 길이 기준을 10 mm로 보는 것은 이제는 너무 과합니다. Standard의 기준을 8 mm로 낮추어도 충분하다는 것이 저의 경험이며, 상악 구치부에서 6 mm로도 잘 쓰고 있는 증례가 있습니다.

이렇게 했을 때의 장점은 많은 경우에서 골이식이 불필요하게 되며, decision making이 빨라 수술 시간이 단축되고, 하악관과 충분한 거리를 둘 수 있으므로 염증 등으로 차후에 제거할 때 쉽게 제거할 수 있으므로 임플란트 문제의 사후처리가 안전하게 될 수 있다는 것입니다.

CASE 5   **Short 임플란트 CASE 1**

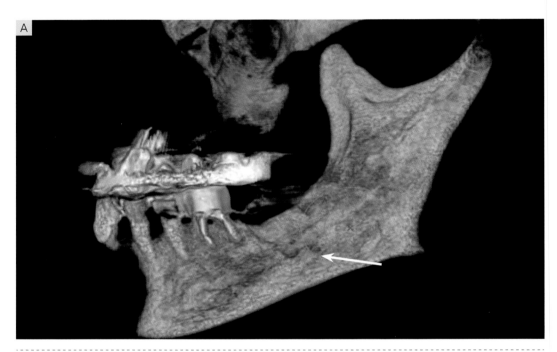

그림 10-6 A. 하악관은 협설로 중앙을 지나가므로 길이가 길면 반드시 하악관을 침범하게 됩니다.

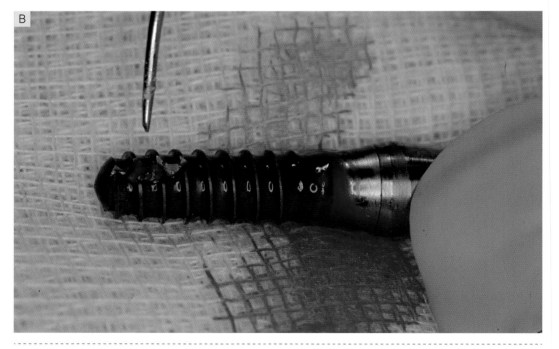

그림 10-6 B. 임플란트 제거 후 하악관 내 연조직이 딸려 나왔습니다.

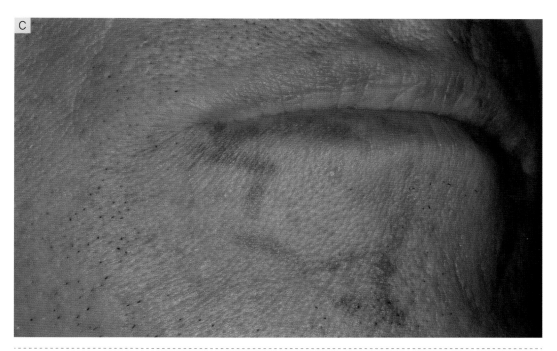

그림 10-6 C. 신경 손상된 부위입니다.

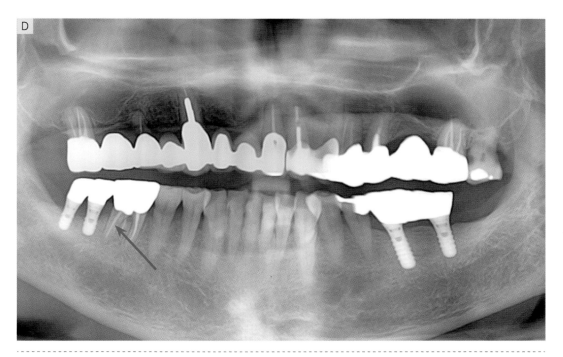

그림 10-6 D. 구치부에 긴 임플란트를 심었다가 하악관을 정통으로 통과하여 어려움을 겪은 케이스입니다. 제거 후 6 mm 임플란트 2개로 마무리하였습니다. 지금와서 생각하면 6 mm 하나를 해도 가능했으리라 판단됩니다.

CASE 6   Short 임플란트 CASE 2

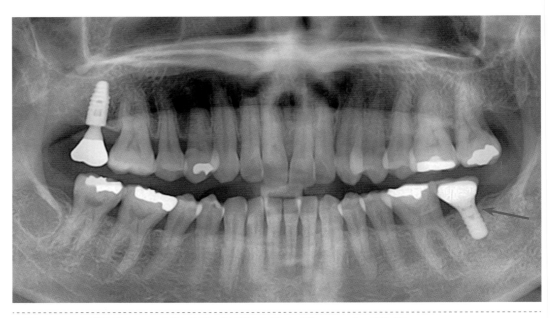

그림 10-7 구치부에 8 mm 임플란트는 안심하고 할 수 있는 standard입니다.

CASE 7   Short 임플란트 CASE 3

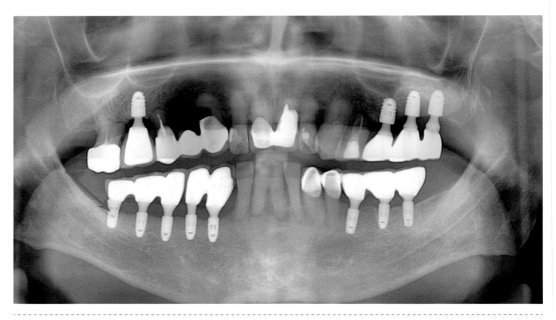

그림 10-8 이렇게 많은 임플란트를 함께 묶는데 왜 긴 임플란트를 심는단 말입니까? 특히 최후방은 6 mm 임플란트로 넉넉하고도 넉넉합니다. 모두 다 짤막한 임플란트로 10년 이상 잘 쓰고 있습니다.

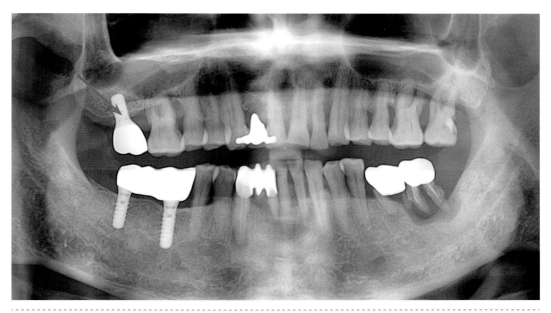

CASE 8 | Short 임플란트 CASE 4

그림 10-9 상악도 예외는 아닙니다. 상악 제2대구치 single도 8 mm면 충분합니다.

CASE 9 | Short 임플란트 CASE 5

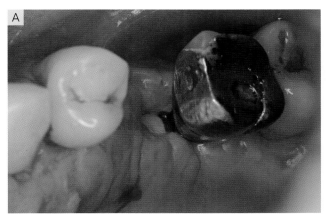
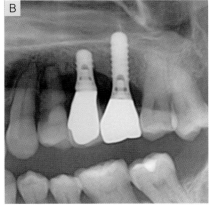

그림 10-10 A. B. Block bone으로 vertical augmentation을 시도하다가 연조직이 덮이지 않아 실패하여 6 mm 임플란트를 심었습니다. 실제 후방 임플란트와는 분리되어 있으며 single standing으로 잘 기능하고 있습니다.

261

memo

memo

memo